TAQAWAN

Éric Plamondon

Taqawan

Quidam éditeur

L'auteur remercie le Conseil des arts du Canada
pour l'aide financière octroyée.

ISBN : 978-2-37491-078-9
Dépôt légal : janvier 2018
sixième édition

Titre original : Taqawan
© 2017, ÉRIC PLAMONDON

TAQAWAN
© Quidam Éditeur 2018

www.quidamediteur.com
Diffusion-distribution : Harmonia Mundi *livre*

Conception graphique et illustration de couverture : Hugues Vollant
Le logo est de Mœbius que nous remercions de sa générosité spontanée.

Ta'n tujiw plamu getu' siga'lat
amujpa tmg toqjua't sipug.

Pour frayer, un saumon doit
d'abord remonter la rivière.

Dicton Mi'gmaq

La conquête du sol par l'homme blanc fut le signal de
la destruction des Sauvages. Ces races, incapables de se
plier à l'agriculture et de comprendre notre civilisation,
se mirent à reculer à mesure que nous envahissions la
contrée. L'un après l'autre, les territoires de chasse,
entamés par les laboureurs, devinrent des champs fer-
tiles où se groupa toute une population étrangère de
croyance, de langue, de mœurs et de coutumes. Il faut
peu d'espace à l'Européen pour se loger et se procu-
rer la subsistance. L'Américain, au contraire, demande
pour chacune de ses familles autant de terre que nous
en embrassons dans quatre ou cinq paroisses réunies.
Avançant comme une armée invincible, la race blanche
a pénétré partout, et nos premiers rangs n'ont eu qu'à
se montrer, la hache à la main, sur la lisière de la forêt
pour s'assurer la possession de ces vastes domaines.

Benjamin Sulte
Histoire des Canadiens français, 1882

LE PONT

Toute forme de mépris, si elle intervient
en politique, prépare ou instaure le fascisme.

ALBERT CAMUS

Elle monte dans le bus et s'assoit, colle son front
chaud contre la vitre fraîche. Dans son silence, elle
ignore les cris, les rires et la bousculade de ceux qui
s'engouffrent dans l'allée pour se caler sur les bancs
deux par deux jusqu'au fond. Le moteur tourne, c'est
un autobus jaune Blue Bird. Il roule vers le pont. C'est
jeudi. C'est bientôt la fin de l'année scolaire. On est
le 11 juin. C'est son anniversaire. Elle a quinze ans
aujourd'hui. Elle n'en a parlé à personne. Sa mère
s'en souviendra peut-être ce soir à table si elle n'a
pas trop bu. Y aura-t-il un gâteau? Se souviendra-t-
elle de la naissance de sa fille un jour de juin comme
aujourd'hui, en 1966? L'autobus approche du pont
Van Horne, qui relie la province de Québec à celle
du Nouveau-Brunswick au-dessus de ce qui n'est
déjà plus la rivière Ristigouche, mais pas encore la
baie des Chaleurs. Ce pont marque une frontière à
l'intérieur d'un même pays, davantage juridique que
géographique. Le transport scolaire vient chercher

les enfants de la réserve indienne le matin pour les amener à l'école anglaise et les reconduit chez eux en fin d'après-midi. Il y a le Québec et le reste du Canada, la réserve et le reste du monde. Dix générations plus tôt, ils étaient partout dans la péninsule gaspésienne. Dix mille ans plus tôt, ils s'étaient installés ici, à la fin des terres, *Gespeg*. Ce sont les Mi'gmaq. Les premiers Français les appelaient les Souriquois. Puis on a écrit leur nom de différentes manières : Miquemaques, Mi'kmaqs, Micmacs.

Au moment où le bus quitte le centre-ville pour s'engager sur la voie d'accès du pont, Océane perd le fil de ses idées. Elle ouvre la bouche, fronce les sourcils. Il y a un problème. Tous les enfants du bus ont la même réaction : moment de silence. Le chauffeur décélère, s'arrête rapidement. À quelques mètres, trois voitures de la Gendarmerie Royale du Canada bloquent l'accès au pont. Une dizaine d'agents de la GRC se tiennent en travers de la route, fusil en main. Le chauffeur coupe le contact. Ça remue dans le bus. Il tire sur la manivelle et descend par les portes battantes.

Sur l'autre rive, au-dessus de Pointe-à-la-Croix, un hélicoptère. Il lance une onde qui agite le pont et gagne les enfants qui sortent la tête par les vitres. Au loin, des bateaux tournent en rond près des berges de la réserve. L'hélicoptère est maintenant au milieu de la baie. Le chauffeur discute avec deux policiers. Océane frissonne, comme piquée par un danger inconnu. Elle a quinze ans aujourd'hui et sent quelque chose couler entre ses cuisses. Son jean se mouille, une tache brunâtre apparaît entre ses jambes. Elle plisse les yeux pour y croire, mais elle n'a pas le temps de paniquer. Quand elle relève la tête, trois garçons poussent la porte de secours à l'arrière. Certains les encouragent, d'autres leur crient de ne pas sortir. Les garçons s'échappent vers le bas-côté de la route. Ils dévalent le talus qui mène sous le pont. Une jeune fille les imite qui file derrière eux, les rattrape. Ils s'arrêtent devant la porte grillagée. Verrouillée par une lourde chaîne, elle bloque l'accès à l'escalier qui mène à la passerelle. Les trois garçons connaissent l'endroit. Ils savent comment escalader le grillage pour se rendre sous le ventre de l'ouvrage. Alors ils grimpent, s'accrochent, passent avec précaution et s'abattent de l'autre côté sur la plate-forme. Quand elle atteint le haut de la grille, Océane pense à son pantalon taché. Mais les trois garçons sont déjà devant. Elle saute à son tour. Elle recolle à leurs pas qui résonnent sur la structure métallique. Le premier des garçons dépasse le deuxième pilier. Leur rythme est lourd sur la pente légère. La travée est encore large ici, au-dessus de la terre ferme. Quand les quatre enfants atteignent le troisième pilier, une voix d'adulte claque dans leur dos, appelle et ordonne. Les fugitifs l'ignorent et, genoux pliés, tête baissée, se rapprochent du quatrième pilier. À travers le treillis d'acier, ils aperçoivent l'eau qui scintille. Océane se retourne. Trois policiers ont réussi à gravir la grille et se lancent à leur poursuite. Océane crie. L'un des garçons répond : « Dépêchez-vous ! » Au quatrième pilier, c'est beaucoup plus dangereux. Il faut s'accrocher aux poutres pour gagner le trottoir suspendu et étroit sous la portée principale : quatre cents mètres de tension. Derrière elle, Océane entend les policiers courir. Elle se précipite avec prudence. Il faut se faufiler sous la grille, ramper sur le béton, déchirer le bas de son pantalon sur l'acier, se faire entraîner par le dernier garçon et sauter encore une barrière de sécurité. Les quatre enfants sont perchés à une dizaine de mètres au-dessus de la baie, acrobates accrochés à leur peur. Les policiers s'arrêtent. Ils ne peuvent pas se risquer à les rattraper ici. La passerelle est trop haute, trop étroite. Les enfants ralentissent dans un léger vertige. Il n'y a plus rien derrière eux. Mais devant? Ils continuent, se suivent au-dessus de l'eau. Le milieu du pont dépassé, l'ampleur de l'agitation à Restigouche les frappe davantage. Sous leurs pieds, des bateaux à moteur qu'ils ne connaissent pas tournent autour des barques de leurs parents. Des zodiacs aux couleurs de la police qui foncent à droite et à gauche pendant que l'hélicoptère continue de survoler la réserve. Sans s'en rendre compte, les enfants se sont arrêtés. Ils viennent d'échapper à un barrage de trois voitures et se dirigent vers une armée en train d'envahir leur village. Le premier des garçons demande: «Qu'est-ce qu'on fait?» Océane répond qu'on continue, qu'on n'a plus le choix. Embusqués dans la structure métallique, ils reprennent leur marche. Est-ce que la Gendarmerie Royale du Canada a averti la Sûreté du Québec? Ils atteignent maintenant le septième pilier, qui leur permet de redescendre sur la travée d'accès. Il faut à nouveau ramper, glisser le long des poutres, parcourir le dernier tronçon à découvert. Sauter à l'eau? Ils y pensent mais personne ne dit rien. Pour l'instant, la voie est libre et les bruits qui montent leur annoncent un champ de bataille. D'ici, ils ne voient plus ce qui se passe. Le dernier obstacle de grillage se dresse avant la porte de sortie. On est au bord de l'eau et le talus est abrupt. Il faut faire vite, l'arrivée est périlleuse. Deux des garçons décident de sortir par la gauche, côté réserve. Océane et l'autre garçon préfèrent prendre à droite, côté Pointe-à-la-Croix. Ils se séparent, se rejoindront peut-être.

Le corps penché dans les hautes herbes, Océane et le garçon avancent, se rapprochent des sirènes de police, des grésillements d'autoradios et des cris de colère. À ce stade, la GRC a communiqué avec la SQ au sujet de quatre enfants sous le pont Van Horne. Pour le sergent Trudel, ce n'est pas une priorité. En ce moment, il fait face à un vieillard qui brandit une hache. Le vieil homme a tracé une ligne au sol et menace les fonctionnaires. Il ne répond plus de lui si les Blancs dépassent la limite. Ça se bouscule entre les Mi'gmaq et la police. Ça se bouscule depuis midi. On a formé des rangs. Les ordres sont clairs : vous êtes là en renfort des agents de la conservation de la faune venus saisir les filets à saumon dans l'embouchure de la rivière Ristigouche. C'est ce qu'on leur a dit. Trois cents hommes armés contre les Indiens de la réserve : hommes, femmes, enfants et anciens. En quelques minutes, la SQ a condamné tous les accès et coupé les lignes téléphoniques. Océane et le garçon scrutent le paysage. Côté Nouveau-Brunswick, l'autobus a fait demi-tour et ramène les enfants à l'école. Côté Québec, le chef parlemente avec les forces de l'ordre. La réserve a sa propre juridiction. On est sur le territoire québécois, mais on est sous la tutelle du gouvernement canadien comme toutes les réserves du pays. Ça discute fort. Trudel est accompagné par un sous-ministre du ministère du Loisir, de la Chasse et de la Pêche. Le chef indien est entouré des membres du conseil de bande, eux-mêmes entourés par la foule qui crie en anglais : « *Get the fuck out!* » D'un côté ça gueule, ça scande pendant que de l'autre ça toise, ça ricane sans en avoir l'air, ça patiente avant que ne tombent les ordres.

Là où ça brasse le plus, c'est sur l'eau. Quand les flics commencent à tirer les filets et que les pêcheurs tentent de les prendre de vitesse, l'espace se contracte. Dans leurs zodiacs, les hommes de Trudel foncent sur les bateaux autochtones. L'hélicoptère se rapproche de certaines embarcations pour les repousser. Les Indiens veulent sauver leurs filets. C'est grâce à ça qu'ils gagnent leur vie, qu'ils peuvent se nourrir et élever leurs enfants. Alors ils ignorent les semonces, montrent les poings, tournent en rond dans la baie des Chaleurs pour échapper à leurs poursuivants. Mais une fois les filets récupérés, il faut regagner la berge. Il n'y a pas d'autre choix et les flics les attendent. Ils sont nombreux. Ils les arrachent des bateaux à cinq contre un, leur font des clés de bras, leur passent les menottes, leur frappent les genoux pour les faire plier. Les plus excités crient : « *On your knees, fucking assholes!* » Et les plus résistants répondent : « Un Indien ne s'agenouille devant personne. » Alors les forces de l'ordre redoublent de coups, s'enragent et deviennent vicieuses. Quand les chiens sont lâchés, quand on donne le feu vert à des sbires armés en leur expliquant qu'ils ont tous les droits face à des individus désobéissants, condamnables, délinquants, quand on fait entrer ces idées dans la tête de quelqu'un, on doit toujours s'attendre au pire. L'humanité se retire peu à peu. Dans le feu de l'action, la raison s'éteint. Il faut savoir répondre aux ordres sans penser. Dans les contrats d'engagement de certaines unités spéciales, des clauses obligent le signataire à éliminer les membres de sa propre famille si on lui en donne l'ordre. Des hommes tueront leurs propres enfants si on les leur désigne d'un coup de menton. Alors quand on lâche une bande de gars de Québec dans une réserve, ça finit avec des côtes cassées et des épaules luxées — au mieux.

Le 19 juin 1981, dans son émission de télévision quotidienne diffusée sur Télé-Métropole, l'animateur vedette Michel Jasmin annonce :

— J'espère que vous savez maintenant à quel point on aime ça, vous présenter quelqu'un pour la première fois. À quel point on aime ça, vous faire découvrir un nouveau talent. Ce soir, c'est… très très très spécial, en ce sens que la demoiselle que l'on vous présente, elle a treize ans. Et elle a une voix magnifique. À vous d'en juger.

Les cheveux longs et bouclés, elle a le sourcil épais, les dents de travers, une drôle de bouche et une longue robe blanche. Elle chante :

Dans un grand jardin enchanté
Tout à coup je me suis retrouvée
Une harpe, des violons jouaient
Des anges au ciel me souriaient
Le vent faisait chanter l'été

Je marchais d'un pas si léger
Sur un tapis aux pétales de roses
Une colombe sur mon épaule
Dans chaque main une hirondelle
Des papillons couleur pastel

Ce n'était qu'un rêve
Ce n'était qu'un rêve
Mais si beau qu'il était vrai
Comme un jour qui se lève

C'est ainsi que Céline Dion a fait irruption dans le Québec des années quatre-vingt. C'est sa mère qui a écrit les paroles de la chanson, des mots si poignants, une poésie si troublante, débordante de harpes, d'hirondelles et de gentils papillons ! Trois ans plus tard, le 11 septembre 1984, Céline a seize ans et chante *Une colombe est partie en voyage* devant le pape Jean-Paul II au Stade olympique de Montréal. Ce sera la consécration. Mais le 19 juin 1981, pendant que des milliers de Québécois regardent Céline à la télé pour la première fois, des centaines d'Amérindiens fortifient les barricades autour de la réserve de Restigouche en prévision d'une seconde descente.

Ce n'est pas qu'un rêve.

LÉVIATHAN

Au creux d'une baie sablonneuse, ils ont installé leur campement pour l'été. Les enfants pataugent dans l'eau froide. Des femmes grattent des peaux de phoque. Des hommes fendent des racines d'épinette pour en faire des liens qui serviront à la fabrication des canots et des outils. Le feu brûle en permanence au milieu des wigwams. Le cri des corneilles berce la main agile d'une vieille femme qui décore une boîte en écorce de bouleau avec des piquants de porc-épic. À l'abri du vent, dans cette anse où l'herbe verte est parsemée de fleurs violettes et jaunes, les canots d'écorce reposent sur leur flanc.

Quand le soleil a dépassé la pointe de la baie, un éclaireur rentre au village. Parti depuis trois jours, il revient avec une mauvaise nouvelle. Les ennemis du Sud, ceux de la tribu du Grand Aigle, arrivent. Il faut rapidement éteindre le feu, rapatrier les enfants, défaire les wigwams et préparer les canots. Pour ce petit groupe, la fuite se fait souvent par la mer. C'est le meilleur moyen de ne pas laisser de traces et de s'éloigner au plus vite. Alors, méthodiquement, parce que cela fait partie de leur vie, et que chacun sait ce qu'il doit faire, on lève le camp. En fin d'après-midi, ils prennent la mer pour fuir leurs ennemis lancés sur le sentier de la guerre. Si tout se passe bien, ils seront hors d'atteinte avant la nuit. On campera et on continuera un peu plus loin demain. Les ennemis du Sud repartiront bredouilles, à moins qu'ils ne croisent un groupe moins prudent et le déciment. Le Grand Aigle est vorace.

Le lendemain, ils reprennent donc la mer pour se mettre à l'abri de tout danger pour un long moment. C'est du moins ce qu'ils croient. Les douze canots glissent au large vers l'estuaire du grand fleuve. Un canot de guerriers est en tête du convoi, un autre à l'arrière. Ceux du milieu transportent femmes, enfants et vieillards. Ceux qui doivent pagayer pagayent. Le dernier canot laisse flotter dans son sillage une branche de sapin de la longueur d'un homme. Attachée à la poupe, elle traîne dans les ondulations salées d'une eau baignant un continent qu'on n'a pas encore baptisé en l'honneur d'Amerigo Vespucci. La branche qui glisse derrière est un leurre. En ce jour où la tribu est partie bâtir son nouveau campement, une énorme gueule surgit des profondeurs et se referme sur la branche. Le dernier canot tangue, le leurre est arraché, les guerriers lancent des cris d'avertissement : il est là, ramez vers la terre, ramez vite vers la terre. Pendant que la ligne des embarcations bifurque vers la rive et que la cadence des rameurs s'accélère, un des guerriers du dernier canot prépare les lances et détache un ballot de cuir. Bientôt, un aileron émerge. On tire du ballot une peau qui servait de porte à un wigwam. On la lance dans la mer. L'aileron passe et plonge. La peau a disparu. Arqués sur les rames, les autres ne regardent pas derrière. Il faut gagner la plage au plus vite. L'aileron a ressurgi et fonce vers la dernière embarcation. Une fois sa proie choisie, la bête s'entête. Cette fois, elle frôle le frêle esquif et reçoit en échange une pointe de lance à hauteur de la dorsale. La forme noire plonge, disparaît, revient dans le sillage du canot d'écorce. Les hommes sont prêts. Ils savent que les chances d'échapper au monstre des mers sont faibles. Ils savent que l'écorce ne résiste pas aux dents de cet ennemi-là. Comme il revient, on jette une autre peau pour le tromper à nouveau, mais cette fois il ne mord pas. Il arrache la pagaie des mains du rameur le plus fort. L'esquif ralentit. D'un autre paquet, on sort des morceaux de saumon séché. À l'assaut suivant, la gueule se satisfait de la chair du poisson, repart, tourne vite et revient. Les autres canots ont déjà parcouru la moitié de la distance. Ils seront bientôt en sûreté. Le dernier canot, lui, perd du terrain. Ses occupants n'ont plus qu'une rame, une lance, un nigog, trois peaux de castor et leurs vêtements. Quand la bête repasse, le nigog se brise violemment sur son flanc. Ce trident conçu pour la pêche au saumon ne peut rien contre la créature. Les trois hommes se rapprochent de la terre. Ils viennent de jeter la dernière peau de castor pour occuper les crocs de l'assaillant. Le guerrier au milieu du canot, celui avec la lance, retire son pagne en cuir en vue de la prochaine attaque. Il est prêt à jeter son vêtement quand la charge arrive, de côté cette fois-ci. Il se lève, tangue et brandit la lance au-dessus de l'écume. Il veut donner le coup de grâce à cette chose qui s'en prend à lui et à ses frères. La gueule surgit. La gueule s'ouvre. La lance s'enfonce dans le nez noir de la chose. L'homme est soulevé. Accroché à la lance, il monte vers le ciel, s'envole puis retombe. Il retombe dans la gueule béante. Son flanc droit s'affale sur les dents qui se referment. L'homme est avalé comme un phoque par une nature plus grande que lui. À peine a-t-il le temps de hurler qu'il est emporté sous l'eau. Les deux survivants, poussés par l'horreur, et lâchés par la bête rassasiée, rejoignent le clan sur la plage. Ils ont tous été témoins de la scène. Ils ont échappé à l'attaque mais l'un d'eux a péri. Ce jour restera à la fois un jour de joie car ils ont échappé à la tribu du Grand Aigle et un jour de tristesse car ils ont perdu un frère. On installe le campement dans un grand silence régulièrement brisé par les lamentations de la mère et de la sœur du disparu.

Le soir, autour du feu, le plus vieux raconte l'histoire d'un grand chef qui avait lui aussi affronté la bête noire sur la mer. Il n'avait dû sa survie qu'à ses plumes. Parti seul en canot, il avait lancé tout ce qu'il pouvait par-dessus bord pour échapper au grand poisson. Nu comme un ver, une rame à la main, il ne lui restait plus que son panache sacré, fait de mille plumes. L'animal s'acharnant à essayer de détruire le canot, il avait levé les bras au ciel pour demander pardon et avait lancé dans l'eau le symbole de son rang. La gueule s'était refermée sur la coiffe et tout avait disparu. Le grand chef avait atteint la rive sain et sauf.

L'espace d'un instant, Bob Bany se rappelle ces histoires d'attaques de canot d'un autre temps, ces histoires qu'on ne raconte plus. Il n'y pense que quelques secondes parce que ça se gâte. Dans leur zodiac, les hommes de Trudel foncent sur les autochtones. L'hélicoptère se rapproche de certaines embarcations pour les repousser. Depuis la rive, cinq mastodontes gueulent à Bany de descendre. «Envoye, grouille-toé, l'Indien, sors de ta chaloupe!» Mais l'Indien a une jambe de bois. Il y a quelques années, il cherchait sa fille autour d'un bâtiment qu'on était en train de démolir, surveillé par un gardien de sécurité. C'est la nuit. Bany cherche sa fille qui n'est pas rentrée et qui peut-être est allée traîner autour de l'ancienne école en démolition. Le père crie le nom de sa fille et le gardien répond: «Dégage, t'as rien à faire icitte.» Le gardien est armé. Le père dit qu'il cherche sa fille et le gardien lui tire une balle de .22 dans le genou droit à vingt mètres de distance. La balle traverse la rotule. Le fémur est brisé. C'est pour ça qu'il a une jambe de bois. C'est pour ça qu'il boite depuis dix ans. Il traîne dans son corps l'imbécillité d'un homme qu'on avait armé pour la défense d'un bâtiment en démolition, une école en train de disparaître. On a détruit l'école parce qu'on n'a pas réussi à faire cohabiter les enfants mi'gmaq et les enfants québécois. Ils étaient pourtant tous gaspésiens.

Cinq policiers le saisissent par les bras et le tirent de la chaloupe, refusant de voir son infirmité, ignorant la douleur qui l'empêche de faire plus vite. Ils tirent et le genou se met à enfler. Un craquement se fait entendre au niveau de la hanche droite. Cinq policiers tirent Bany pendant que dix autres repoussent sa femme, qui donne des coups de poing et des coups de pied à la ronde, en crachant dans les visières: *«Fucking pigs!»*

CABOTO

Il est né sous le nom de Giovanni Caboto. Les Français l'appellent Jean et les Anglais John. Il grandit à Venise, devient marin et se met au service du roi d'Angleterre en 1496. Comme Colomb, il veut découvrir la route occidentale des Indes. Henri VII lui donne carte blanche. Cabot traverse l'Atlantique.

Il est né dans cette partie du monde qui sera l'Italie quatre siècles plus tard. Il s'appelle Giovanni. Il devient capitaine et se met au service de l'Angleterre. Il cherche la route des Indes et trouve le Canada sous le nom de John. Dans les livres d'histoire du Québec, en français, il s'appelle Jean et on l'a oublié au profit de Cartier.

Dans les livres d'histoire anglais, il est écrit quelque part que John Cabot ramena trois Mi'gmaq en Angleterre en 1497. Dans les livres du Québec, le premier contact d'un Européen avec les Mi'gmaq date de 1534, et on l'attribue à Jacques Cartier. Dans les livres d'histoire moderne, on sait que, quand il est arrivé, Cabot a découvert des Indiens avec des barbes et des croix accrochées au cou. On sait que les Mi'gmaq sont des nomades arrivés en Amérique par le détroit de Béring, depuis le cap Dejnev jusqu'en Alaska. On sait que, si on doit aujourd'hui parler des premiers Européens au Québec, il faut parler des Vikings et des Basques.

La Bonne Sainte Anne

Sous le pont, les enfants glissent le long de la dernière poutre pour se cacher dans les herbes hautes, au pied du talus qui donne sur la route bloquée. Ils sont témoins de la bataille autour des filets. Ils voient leurs familles pleurer, les bébés qui s'étouffent, les mères qui se griffent et les vieux qui s'arrachent les cheveux. C'est la guerre. Le gouvernement est venu chez eux pour les détruire, les humilier. Les quatre enfants ont peur, veulent pleurer eux aussi, être avec les leurs. Alors, quand Jimmy voit qu'on menotte son père et qu'on le pousse dans une voiture brune et jaune de la Sûreté du Québec, il hurle : «*Noooooo!*» Court, fonce et, avant que trois policiers réussissent à l'attraper, il s'accroche aux jambes de son paternel pour empêcher qu'il ne disparaisse dans le véhicule. Son père se penche vers lui et dit :

— *It's OK. It's OK. Don't worry.*

Son père lui dit ça alors que ses larmes se mélangent au sang qui coule de chaque côté de son visage. L'enfant n'entend rien, ne veut rien entendre. Il s'agrippe et un policier le maîtrise, lui décroche les doigts un à un. À quelques mètres, un journaliste prend des photos.

Plus loin, Océane a profité de l'agitation pour traverser la route et retourner sur son territoire. Elle court jusqu'à chez elle. Elle ouvre la porte, la maison est pleine. Les mères réconfortent les bébés qui pleurent, s'occupent des enfants qui geignent. Toutes poussent un cri de joie en voyant Océane, accueillie avec soulagement : on a eu si peur pour elle et les autres. Ça va mieux maintenant. Bientôt ce sera fini. Mais elle veut comprendre, elle demande pourquoi. Qu'est-ce qui se passe ? Où est son père ? Il y a des policiers partout, un hélicoptère. L'autobus n'avait pas le droit de traverser. Le pont était bloqué. Pourquoi ? L'une des mères explique qu'ils sont venus voler les filets. Une autre répond que le gouvernement veut leur interdire de pêcher le saumon. Une troisième dit que ça a toujours été comme ça mais qu'on va s'en sortir, ils ne l'emporteront pas au paradis. Une quatrième prie la bonne sainte Anne.

SALMO SALAR

Le saumon est un poisson fascinant. Comment peut-il sauter si haut ? Comment fait-il pour remonter des chutes aussi vertigineuses ? Sa force, son allure et son goût lui ont valu le titre de roi des poissons. Il y a deux mille ans, Pline écrivait déjà : « Le saumon des rivières est mieux que tous les poissons de la mer. » Les Latins le nomment *Salmo*. Il y a plusieurs espèces de saumon. Il faut attendre le dix-huitième siècle pour que Linné baptise le saumon de l'Atlantique du nom de *Salmo salar*. Il existe en variété *americanus* et *europaeus*. Il ne faut pas le confondre avec son cousin du Pacifique, dont le nom scientifique est *Oncorhynchus*.

Quand César invitait Cléopâtre à sa table, il y avait toujours du saumon au menu, mets de choix, mets de roi. On lui prêtait des vertus magiques, ses bonds hors de l'eau témoignant de dons divins. Il a toujours été très prisé, tellement prisé que déjà sous l'Empire romain on pratiquait l'ensemencement des rivières pour pallier les abus des filets. La surpêche ne date pas d'hier. Le premier règlement écrit concernant la pêche au saumon remonte à l'an 1030 en Écosse, sous le règne de Malcolm II. Il y est stipulé qu'il est interdit de pêcher du 15 août au 11 novembre, de l'Assomption à la Saint-Martin. Dans la Grande Charte des libertés d'Angleterre de 1215, *Magna Carta,* mère du droit individuel et des constitutions modernes, les règles de pêche sont clairement définies. La partie des rivières soumise aux marées appartient à tout le monde. Tous peuvent y pêcher. Vient ensuite la partie navigable, que l'on situe entre l'endroit où il n'y a plus de marée et le lieu où on ne peut plus avancer en bateau, que ce soit à cause des rapides, des rochers ou des hauts-fonds. Cette partie navigable, où l'on peut pêcher, est la propriété du roi. Au-delà de cette limite, la rivière appartient aux propriétaires des terres qui la bordent.

Pendant le Moyen Âge, on défend aux meuniers et autres maîtres de moulins de bloquer entièrement une rivière. Il est obligatoire de laisser un espace de montaison pour le saumon. Celui qui ne respecte pas cette règle est passible d'emprisonnement. Et ainsi de suite, sur chaque rivière, de chaque pays, jusqu'au Nouveau Monde, quand l'homme blanc et la femme blanche font la rencontre d'un peuple qui n'a jamais eu besoin de réfréner son avidité par des lois. Depuis des millénaires, la sagesse de l'évidence suffit à ce peuple : si on pêche trop de poissons cette année, il y en aura moins l'année prochaine. Si on pêche trop de poissons pendant des années, un jour il n'y en aura plus.

LA PREMIÈRE DESCENTE

Le matin du 11 juin 1981, un pilonnage de tambour assourdissant court dans le ciel bleu de la Gaspésie. L'ange annonciateur prend la forme d'un hélicoptère des forces de l'ordre qui ouvre la marche de trois cents hommes armés. Casqués, matraques en main, ils avancent sous la bannière de la Sûreté du Québec. Les bottes claquent. Le tournoiement des pales ride les eaux et couche les herbes. La police assiège le territoire des Amérindiens. Les bateaux fendent l'eau et déchirent les filets. Côté Nouveau-Brunswick, le pont Van Horne est bloqué par la Gendarmerie Royale. Les Indiens sont encerclés par la cavalerie. Le ton monte. On serre les rangs. On se regroupe. Le pouvoir veut en découdre. Ça s'appelle une démonstration de force. On ordonne de reculer. On repousse. Ça gueule, ça crie, ça prie. Les gyrophares tournent à vide dans le soleil de juin. Il est bientôt midi. Sur l'eau, les gardes se lancent à l'abordage. Ils saisissent, confisquent. La moindre protestation dégénère. Un colosse d'un mètre quatre-vingt-dix, dans la police depuis trois ans, empoigne Bob Bany, qui met trop de temps à sortir de son bateau. Il lui aboie de se grouiller. Bany fait ce qu'il peut avec sa jambe de bois. Le policier tire, arrache la chemise, le plaque à terre, un coup de genou dans les côtes l'air de rien, un poing sur la nuque parce qu'il faut qu'il obtempère. La clé de bras disloque l'épaule. Un cri de douleur jaillit, étouffé par un *fuck you* hargneux. Ils sont maintenant quatre sur le dos de l'homme à terre. Il n'avait qu'à obéir. Refus de se plier aux ordres d'un représentant de l'autorité. Il n'avait qu'à ne pas traîner. Ils lui maintiennent les jambes et lui passent les menottes. Un coup de matraque dans le dos pour finir. Les forces de l'ordre sont en train de sauver le Québec des terribles agissements de ces sauvages qui ne veulent jamais rien entendre. Il faut les discipliner, leur apprendre. On est dans la province de Québec, sur le territoire provincial. Quiconque s'y trouve doit obéir aux lois et aux injonctions venues de la capitale. Le ministre a dit, la police exécute. Elle répand la parole de l'ordre par le bout des fusils, les gaz lacrymogènes et les barreaux de prison.

40 KM^2

L'autobus a dû rebrousser chemin, retour à l'école.Les plus vieux fument dans la cour. Certains forment des cercles dans le gymnase. Tous enragent. D'un côté, la peur les étrangle. De l'autre, une envie de vengeance les galvanise. Un jour, pensent-ils. Un enseignant a proposé une partie de baseball pour passer le temps mais personne n'est intéressé. Où sont les autres, que s'est-il passé, où peuvent être les frères et les sœurs, les mères et les pères? Ils sont assiégés par les images des hommes armés sur la réserve. Le directeur a dit qu'il faut être patient, on ne sait pas tout pour l'instant.

En début de soirée, la police rouvre l'accès au pont Van Horne. Les enfants montent à nouveau dans l'autobus Blue Bird pour être ramenés chez eux. Les dernières lueurs du couchant brillent sur la Ristigouche, pesante de silence. On ramène les enfants sur la réserve. Les familles les attendent. Tout le monde n'est pas ici, plusieurs sont partis soutenir les vingt braves emprisonnés à New Carlisle. Le père et la mère d'Océane sont là-bas, son père derrière les barreaux, sa mère pour le soutenir. Océane garde sa sœur et ses deux frères à la maison. Elle s'est couchée avec eux, voudrait leur raconter une histoire mais il est tard. Le bois de la maison craque, les fenêtres ouvertes sur l'été laissent s'échapper la tension des dernières heures. Océane repense au sang au fond de son pantalon. Elle croyait que cela n'arriverait jamais. Toutes les autres se vantent depuis longtemps d'être devenues des femmes. Après le pont, après la course, après les pleurs, elle s'est enfermée dans la salle de bains. Elle a trouvé les serviettes hygiéniques de sa mère et a fait ce qu'elle savait qu'il fallait faire. Elle a pris une douche. Elle s'est changée. Elle a mis son pantalon au lavage. Au milieu de ses frères et sœur endormis, elle repense à ce jour qui aurait dû être simplement le jour de ses quinze ans et qui deviendra, elle ne le sait pas encore, la bataille du saumon, la seconde Bataille de la Ristigouche, les incidents de Restigouche, Migwite'tm. Elle se revoit plus tôt dans la matinée, à l'écart comme à son habitude, sortir le livre de son sac à dos après le repas. Son professeur d'anglais l'a choisi pour elle. Il la trouve plus mature que les autres. Elle a d'excellentes notes. Elle peut en faire davantage, aller plus loin. Alors il lui a prêté ce recueil de nouvelles de Jack London, à la fois parce que ça parle d'Indiens et parce qu'il espère que cela amènera doucement la jeune Mi'gmaq à lire *Le Talon de fer,* qui lui donnera peut-être des idées pour la suite.

Océane n'aime pas la première nouvelle du recueil. Les Indiens y sont décrits au début comme des brutes sanguinaires et à la fin comme des êtres avides et dupes. Elle est en revanche happée par le texte qui donne son titre au recueil : «Construire un feu». Un homme meurt de froid, car il a eu la stupidité d'installer son brasier sous un sapin enneigé. La chaleur monte lentement puis tout à coup la neige accumulée sur les branches s'abat sur lui. Le feu est englouti. L'homme est désormais perdu au milieu d'un froid polaire qui doucement le mange. Une situation qui correspond parfaitement à l'idée qu'elle se fait de la faiblesse de l'homme blanc seul dans une forêt.

Depuis toujours, elle sait. On lui a raconté l'histoire des Français et des Anglais venus sur sa terre à elle. Les anciens ne manquent jamais une occasion de rappeler aux plus jeunes que, sans les Indiens, les premiers colons n'auraient pas survécu aux hivers de cette partie du monde, du moins ni les Anglais ni les Français. Les Vikings avaient peut-être réussi à y passer quelques mois froids, mais les premiers Français venus construire des maisons à Port-Royal, à Tadoussac et à Québec, seraient tous morts sans l'aide des sauvages. Océane sait cela. Son peuple a sauvé les Blancs puis les Blancs les ont peu à peu décimés. Sans réussir à les exterminer. Les réserves ont remplacé les guerres. Même contenus dans de ridicules portions de terre, ils ont survécu. Même si leur territoire, leur lieu de vie est passé de milliers de kilomètres carrés à une mince bande de quarante kilomètres carrés, ils sont toujours là.

Le logo de la télévision d'État remplit l'écran. Une musique dynamique en saccades, qui rebondit comme des coups de canon et des battements de tambour, s'appuie sur des basses d'outre-tombe pour immédiatement faire de l'instant quelque chose de tragique. Le lecteur de nouvelles ouvre son bulletin avec la mort de sept personnes dans le métro de Moscou à la suite d'un incendie criminel. Après deux mois de grève, le journal *Le Devoir* reparaît enfin. Viennent ensuite les violences indiennes.

— Dans la journée d'hier en Gaspésie, la police provinciale a eu fort à faire pour maîtriser les Amérindiens qui refusaient de se plier à l'injonction du ministère du Loisir, de la Chasse et de la Pêche. Un reportage de Pierre Paradis.

Hier en Gaspésie (balayage de la caméra sur la baie des Chaleurs depuis le mont Sugarloaf), sur la réserve de Restigouche, les policiers de la Sûreté du Québec ont eu maille à partir avec les Micmacs qui refusaient d'obtempérer (plan large sur une dizaine de policiers qui bloquent une rue) à l'ordre du ministre du Loisir, de la Chasse et de la Pêche, Lucien Lessard. Les nouveaux permis de pêche que le gouvernement québécois propose aux Amérindiens sont ici en cause. (Plan serré d'une voiture de police qui roule lentement, tous gyrophares allumés.) Une vingtaine de Micmacs ont été arrêtés et on déplore de légères blessures du côté des forces de l'ordre. (Zoom sur la rivière Ristigouche où trois policiers dans un zodiac sont en train de sortir de l'eau un filet de pêche qui contient une demi-douzaine de saumons.) Selon le porte-parole du gouvernement, l'incident est clos. Les filets de pêche ont été saisis et c'est le retour à la normale. (Plan américain sur un policier qui appuie sur la tête d'un homme en t-shirt blanc pour le pousser dans une voiture banalisée.) Une vingtaine d'Indiens qui ont passé la nuit en prison devront prochainement s'expliquer devant la justice.

Fin du reportage. Retour à l'animateur :
— La direction des Caisses populaires Desjardins vient d'annoncer la mise en place d'un système qui pourrait révolutionner notre manière de retirer de l'argent. En effet, fort de son réseau provincial où toutes les caisses peuvent traiter électroniquement les transactions de leurs membres, les Caisses populaires vont mettre en place ce qui pourrait, dans un futur proche, prendre le nom de guichet automatique.

GESPEG

Ils ont marché, cheminé pendant des mois, des années, des siècles et, quand l'Atlantique leur a barré la route, quand l'avancée est devenue impossible, ils se sont arrêtés, ils ont posé leur histoire ici et ils ont dit : nous voilà arrivés à *Gespeg,* ce qui dans leur langue veut dire *la fin des terres.* Plusieurs siècles plus tard, des hommes venus d'ailleurs allaient s'emparer de ce territoire et de ce nom pour en faire la Gaspésie.

SAUVAGES

Des Indiens, ce sont des Indiens. On les a appelés comme ça parce qu'on croyait être arrivé en Inde. Mais non, on était arrivé en Amérique. Avec le temps, on s'est mis à les appeler des Amérindiens. Plus tard, on dira des autochtones. Avant ça, on les a longtemps traités de sauvages. On les a surnommés comme ça, des hommes et des femmes sauvages. Il faut se méfier des mots. Ils commencent parfois par désigner et finissent par définir. Celui qu'on traite de bâtard toute sa vie pour lui signifier sa différence ne voit pas le monde du même œil que celui qui a connu son père. Quel monde pour un peuple qu'on traite de sauvages durant quatre siècles?

LE BISON DU NORD-OUEST

Dans l'ouest des États-Unis, au milieu du dix-neuvième siècle, pendant qu'Herman Melville écrit *Moby Dick,* des hommes à cheval, armés de longs fusils, abattent les troupeaux de bisons. Pour certains, il s'agissait d'une stratégie d'élimination des Indiens. De nombreux peuples millénaires de ces contrées ayant basé leur existence sur la symbiose avec le bison, l'exterminer suffisait à faire disparaître ceux qui en vivaient. Un siècle plus tard, l'histoire de ces milliers de carcasses pourrissant au milieu des plaines du Wyoming ou du Dakota souligne la cruauté des colonisateurs. On parle désormais d'un génocide par tuerie interposée.
Dans l'Ouest, l'homme blanc a réussi à éliminer les Indiens en éliminant les bisons. Dans l'Est, il y avait des saumons. On les a pêchés à coup de barrages, de nasses et de filets jusqu'à l'épuisement des stocks. Les Indiens aussi sont épuisés.

Rencontre

Leclerc avait démissionné une semaine plus tôt. Il avait trouvé la jeune fille roulée en boule au milieu des fougères. Il s'était levé avant le soleil pour être sur la rivière au moment où les premiers rayons pointeraient au-dessus des épinettes. On était à la mi-juin, en pleine montaison. Un touriste américain avait sorti une prise de douze kilos pas loin du pont en début de semaine. Il avait décidé de remonter la baie pour aller sonder la même fosse. Il avait garé son jeep sur le bord de la route et enfilé ses bottes-pantalons, qui lui remontaient sous les bras. Il avait ajusté la ceinture extérieure par mesure de sécurité. L'année dernière encore, un jeune gars de Trois-Rivières s'était retrouvé à l'eau sans avoir resserré le haut de ses cuissardes. Il avait glissé dans les rapides et ses bottes s'étaient remplies en quelques secondes. Brusquement lesté d'une dizaine de kilos d'eau, il avait été longuement entraîné au fond par le courant. C'est Leclerc qui avait retrouvé le corps deux jours plus tard, accroché à une branche immergée.

Il marche maintenant vers la rivière dans ses bottes en caoutchouc. L'image du noyé dans sa tête s'estompe au son du courant. La végétation est dense. Le fond de l'air commence à se réchauffer. Leclerc enjambe un tronc d'arbre mort et la trouve là en boule dans les fougères. Une veste de jean est posée sur elle. Ses cheveux sont défaits, pleins de chardons et de feuilles mortes. Il se penche et secoue doucement son épaule. Elle se réveille, sursaute comme une furie, les yeux écarquillés. Elle veut se relever mais s'écroule. À plat ventre, elle gratte la terre avec ses doigts et se met à s'enfuir à quatre pattes. L'instant de surprise passé, il lui attrape un pied pour la retenir. Elle rue de sa jambe libre et lui fend la lèvre inférieure.

Il bondit sur elle de tout son long, la plaque au sol. Quand le corps de l'homme de trente-cinq ans s'aplatit sur le dos de l'adolescente, aucun son ne sort de leur bouche sinon un léger *oumf* ! Il saisit ses poignets et l'immobilise d'une double clé de bras. Elle continue à secouer la tête pour l'atteindre au menton, au front, mais il reste hors de portée. Les pieds virevoltent en tous sens. C'est là qu'il parle pour la première fois.

—Calme-toi. Calme-toi. Je ne te veux pas de mal. Je suis garde-chasse. Ça va aller. Si tu arrêtes de bouger, j'arrête de te serrer les bras.

Elle se convulse une dernière fois et se laisse retomber de tout son poids. Il ne voit plus que la crinière noire qui recouvre son visage. Elle respire difficilement. Il desserre doucement son emprise et s'agenouille à ses côtés. Elle cherche son souffle, ne bouge plus. Elle porte un jean délavé, des bottes Kodiak et un gilet de laine molle sur un t-shirt blanc neige. Sa veste de jean est tombée là où il a surpris l'adolescente. Quand il sent qu'elle ne bougera pas, il va chercher la veste et la pose sur elle. Si elle vient de passer la nuit ici, dans les fougères humides, à deux pas de la rivière, elle doit être frigorifiée. D'ailleurs elle tremble. Il pose sa veste de pêche sur elle dans un cliquetis d'hameçons et de coupe-fil. Il lui redit de se calmer, de ne pas avoir peur. Ça va aller. Il lui demande si elle veut boire un peu d'eau. Elle relève lentement la tête. Elle extirpe son visage du sol visqueux aux odeurs de mousse et de pierre froide. Elle le regarde à travers le noir charbon de sa chevelure. Il distingue un œil en amande, un bout de sa peau qui semble mate sous la crasse et les traits ronds. Elle est indienne.

Il voudrait avancer la main pour repousser les cheveux mais craint de l'apeurer. Il patiente pour lui donner le temps de reprendre son souffle. Il reste assis dans l'herbe à côté d'elle pendant dix minutes ou deux heures. Elle finit par se relever au ralenti. Ni l'un ni l'autre ne parlent. Il y a eu le choc et maintenant l'apaisement. Le soleil est de plus en plus haut. Le pêcheur n'ira pas à la rivière comme prévu. Elle se met d'abord à genoux, gardant ses cheveux autour de son visage. Il se redresse sur les talons, prêt à une nouvelle fuite. Sur ses mains sales, du sang séché, des griffures. Elle pivote et s'assoit en tailleur au milieu des peupliers faux-trembles, dont le feuillage scintille dans un ciel parfaitement bleu.

Ç'aurait pu être une journée de pêche parfaite. Les cheveux noirs continuent de couvrir son visage. En face d'elle, Leclerc fait glisser son sac à dos, le pose devant lui, tire la fermeture éclair, plonge la main dedans et ressort une gourde puis une barre de chocolat. Il déballe la sucrerie, casse deux morceaux. Il tend la main vers elle, à vingt centimètres de son visage toujours baissé. Son souffle est enfin normal, ses épaules montent et descendent régulièrement. Elle a repris ses esprits.

C'est peut-être l'odeur du cacao qui la ramène, et lui fait relever la tête. Elle avance la main droite, prend le morceau offert. De sa main gauche, elle remonte une large mèche qu'elle bloque derrière son oreille. Il essaie de sourire, de paraître calme, mais l'œil tuméfié qu'il découvre le fait tressaillir. Elle a été battue. Cette enfant s'est perdue. Il lui tend la gourde en lui demandant si elle veut encore du chocolat. Elle fait signe que non, prend l'eau et boit. Elle tremble encore un peu. L'homme sort un paquet de cigarettes de son sac, en allume une avec son Zippo. Sa lèvre inférieure lui fait mal quand il tire sur le filtre. Pour la première fois, c'est elle qui s'avance, tendant ses doigts en V vers lui. Il lui donne la cigarette. Elle tire longuement dessus, s'étouffe un peu, repenche la tête. Il entend enfin sa voix :

— Merci.

Dans la bagarre, quand il l'a stoppée, il a laissé tomber sa canne à pêche. Il se lève, fait quelques pas pour aller la récupérer. Les deux sections forment une croix, l'une d'elles est brisée. Dans la bataille, le bout de la canne a cédé, la fibre a éclaté.

— C'était la canne à pêche de mon père. Je suis désolé de t'avoir fait peur.

Elle tire sur la cigarette jusqu'à la moitié. Elle le regarde ramasser les morceaux.

— C'était une belle canne. Tu aurais dû me laisser tranquille, dit-elle.

Il s'entend lui dire qu'il va la ramener chez elle. Les tremblements reprennent, la cigarette remue entre les lèvres de la jeune fille.

—Non!

—Je suis garde-chasse ici. Tu vis sur la réserve? On doit s'inquiéter, te chercher?

—Si tu me ramènes là-bas, je dirai que c'est toi qui m'as violée, lui rétorque-t-elle.

En même temps qu'elle dit ça, elle prend appui sur sa main droite et se relève péniblement, s'agrippe au tronc lisse d'un jeune peuplier. Elle est debout, sale. Elle a mal. Mal partout. Cet homme l'a plaquée au sol. Dans la nuit, des hommes l'ont plaquée au sol, sur le dos, à tour de rôle. Elle veut faire un pas, avance la jambe, mais son ventre et son sexe lancent une douleur intenable. Ses jambes se replient. Elle s'évanouit.

Temps de chien

Les feuilles sont rouges dans les arbres. Les feuilles sont jaunes et orange. Les feuilles tombent. Le sol est couvert de limbes et de nervures qui craquent sous le pied. La forêt s'éclaircit. Le ciel apparaît entre les ramures. Les gélinottes se cachent au creux des épinettes. Le poil des lièvres tourne au blanc. La chasse est mauvaise cet automne. Les piégeurs manquent de veine. On monte et démonte le campement trop souvent depuis trop de jours. On marche à s'épuiser pour dénicher le gibier, trop grandes sont les distances. La chance n'est pas au rendez-vous. On décide de retourner à la rivière. Il reste un peu de temps pour une dernière pêche. Il faut rebrousser chemin vers l'embouchure. Le fruit des eaux doit remplacer ce qui n'a pas été tué dans les bois. Les réserves sont insuffisantes. La neige n'est pas tombée encore que l'hiver est déjà trop long. Le clan se hâte vers la rivière, vers le saumon. Les nuits sont froides. Au matin, un duvet de givre recouvre le monde. Les feux réchauffent à peine les enfants qui pleurent. Les mères les collent contre leur peau. Les chiens aboient. Plus ils progressent vers la rivière, plus les nuits sont froides. La première neige arrive au dernier jour de marche. La rivière est gelée. Les saumons ne sont plus là. La glace est trop dure pour la pêche et trop molle pour les pas. On monte à nouveau les tentes. Dans la journée, un homme ramène un porc-épic. La glace mord le courant. La neige se pose en blancs monticules sur les pierres qui émergent comme des têtes de béluga sorties de la rivière. Les jours passent, la faim creuse les visages. Les chiens grondent. Les réserves sont épuisées. Mais il y a toujours une solution pour le peuple qui veut survivre.

On plaque le chien au sol. L'homme est à genoux sur le dos de l'animal qui hurle, gémit, griffe et comprend. Le reste de la meute s'est enfuie. La lame tranche la gorge. Le sang coule. La carcasse est accrochée à un arbre. La tête pend. On cisaille la peau autour du cou, autour des pattes, autour de la queue. On entaille et découpe avant de tirer pour dérouler le cuir qui se décolle doucement dans une odeur de vie morte. Avec une pierre coupante, on gratte les chairs. Demain, une autre journée sera gagnée sur l'hiver interminable qui n'a pas commencé. Demain, il y aura du chien pour tout le monde.

TOBOGGAN

En langue mi'gmaq, le mot *toboggan* signifie «luge».
En français, le dictionnaire définit le mot *micmacs*
ainsi : «Arrangements secrets et compliqués afin de
parvenir à ses fins ; manigances, menées obscures et
embrouillées dans un but intéressé.» Le terme *micmac*
viendrait de la locution verbale du moyen néerlandais
muyte maken qui signifie «faire une émeute». Cela n'a
rien à voir avec le nom du peuple qui vit dans le nord-
est de l'Amérique depuis des millénaires. Pourtant,
quand les Mi'gmaq de Restigouche se révoltent en
juin 1981, leur nom indien rallie l'idée de révolte de la
définition française, comme si l'homonymie faisait du
toboggan entre la Hollande et l'Amérique.

TOURNANT

Il soulève la jeune fille dans ses bras, légère pour le trentenaire en forme qu'il est. Il a repris son sac à dos. Il la porte vers son jeep. Il n'est pas encore sept heures du matin. Il n'y a personne en vue. Il pose la jeune fille sur la banquette du Cherokee Chief. Il lui fait un oreiller de sa veste de chasse qui traîne derrière le siège avec son .12 à pompe. Il retire ses bottes, met ses chaussures et démarre.

Il habite seul au milieu des bois, bien à l'est du chemin Kempt. Il faut un bon 4 x 4 pour se rendre jusqu'à sa cabane. L'hiver, il se gare sur la route principale avant de continuer en ski-doo. Mais là, en juin, il peut rouler jusque devant sa porte. La jeune fille dort toujours malgré le trajet cahoteux. Il ouvre la portière et sa jeune chienne se jette sur lui, pattes de devant en l'air. C'est une labrador, noire comme un ours. Elle le lèche, se fait gratter derrière les oreilles en émettant des petits gémissements. Leclerc referme doucement la portière. Il entre chez lui, une maison rustique en bois avec une batterie d'auto pour l'électricité, une pompe à manivelle pour remonter l'eau du ruisseau pas très loin. Il loue l'endroit à un fermier devenu trop âgé pour venir ici comme dans sa jeunesse. Le vieux camp de chasse a été transformé en petit chalet avec pièce principale, chambre à coucher et salle de bains. Grâce à un poêle à deux ponts et aux arbres qu'il coupe aux alentours, Leclerc peut tranquillement passer l'hiver.

Il a laissé la chienne dehors, qui fait des allers-retours entre la porte du camion et celle du chalet en reniflant cette odeur qui lui est étrangère. Jamais personne ne vient ici, à part le vieux proprio et un Indien qui vit caché encore plus loin dans la forêt. Alors ce parfum de jeune fille qui monte par la vitre entrouverte de la camionnette la rend un peu folle.

Leclerc range rapidement la chambre, roule son sac de couchage. Il sort des draps propres pour un lit neuf avant d'aller faire bouillir de l'eau. Il nettoie le sang sur sa lèvre gonflée puis pose une bassine d'eau tiède près du lit et un thé fumant sur la table de la cuisine. À l'extérieur du chalet, il calme le chien et va vers le jeep pour récupérer la jeune fille qui n'arrive pas à ouvrir les yeux. Il lui explique qu'ils sont en lieu sûr, chez lui, qu'elle va se reposer. Il sent une chaleur de fièvre quand il la prend à nouveau dans ses bras. Elle se laisse faire. Il la transporte dans la maison, la pose sur le lit. Le chien s'est tout à coup calmé. Leclerc trempe une serviette dans l'eau tiède et la pose sur le front de la jeune fille. Les yeux fermés, elle semble s'apaiser. Il essuie ses joues sales avec le coton rugueux. Il repose le tissu sur son front. Il ordonne au chien de se coucher là, à côté d'elle, sur le lit et de ne pas bouger. Il pousse la porte de la chambre sans la fermer complètement. Seul debout dans la pièce principale, le bol de thé fumant sur la table, il se demande tout à coup : que se passe-t-il ? Il vient d'amener chez lui une jeune Indienne. Sous le choc d'un viol. Elle a passé la nuit dehors. Lui vient de perdre son travail parce qu'il a refusé de retourner sur la réserve. Tous les agents de la protection de la faune, tous les gardes-chasse et gardes-pêche du coin ont reçu l'ordre de se retrouver au poste de la Sûreté du Québec pour une nouvelle intervention sur la réserve indienne. Une nouvelle opération de saisie des filets devait avoir lieu ce jour-là, samedi 20 juin. Lui, Yves Leclerc, était là pour la première intervention. Avec des gars venus de toute la province, il est arrivé sur la réserve en même temps que trois cents policiers. Quand il a vu les matraques, les autobus, les gyrophares et les employés du ministère, il a compris qu'il était en train de participer à quelque chose de pas bien beau. Jusque-là, dans sa vie de tous les jours, sa routine a consisté à faire le tour des rivières pour vérifier si les gars en train de pêcher ont leur permis et s'ils ne dépassent pas les quotas. Une job tranquille qui lui permet de rester dans le bois même s'il n'est pas à la chasse ou à la pêche. Mais la semaine dernière, après la journée du 11 juin, après avoir vu tous ces êtres humains agressés, tabassés, il a décidé qu'il ne recommencerait plus. Qu'on sauve le saumon avec des quotas ou le gibier grâce à des lois de préservation de la faune lui paraît juste, mais pas au prix de jeter des pères de famille en prison, pas au prix de leur taper dessus comme des chiens devant leurs propres enfants.

Alors, comme il avait été témoin et partie prenante de cette humiliation collective, il avait rédigé sa lettre de démission le soir même à la lumière de sa lampe au propane. Le lendemain, il avait pris la direction du bureau local avec sa lettre dans une main et son uniforme plié dans un sac en plastique dans l'autre.

L'œil noir, il s'était dirigé droit vers la porte du chef en évitant tout le monde. Il avait frappé et n'avait pas attendu la réponse pour entrer. Moustache et cheveux gris, l'homme avait reçu Yves d'un grand sourire en posant son crayon et en se calant dans sa chaise.

—Salut, mon Yves. Encore bravo pour hier! On a bien travaillé. J'espère que là les Indiens vont comprendre qu'ils vivent ici chez nous. Lucien Lessard, ça c'est un ministre qui se tient droit dans ses bottes.

Il se frottait littéralement les mains de contentement à l'idée des centaines de kilos de saumon et des dizaines de filets saisis la veille. Leclerc avait posé son sac en plastique sur le bureau et sa lettre de démission dessus, directement sous les yeux du patron qui souriait moins.

—C'est quoi ça, mon Yves? C'est pas ma fête.

Il avait ensuite jeté son insigne et les clés du camion de service à côté du sac en plastique. Le bruit des clés sur le bureau avait accompagné la dernière syllabe de sa réponse:

—Je démissionne.

Il faisait une croix sur les sept dernières années de sa vie, sur sept années de carrière qui lui avaient permis de vivre libre, à son rythme, dans ce qu'il considérait comme une forme de bonheur plutôt réussie. Le chef avait cessé de sourire. Il s'apprêtait à dire quelque chose quand Leclerc avait claqué la porte derrière lui. Il roulait maintenant vers Carleton pour aller se saouler la gueule.

Il n'aurait sans doute pas dû aller en ville. Tout le monde parlait de la descente. Il avait eu beau s'installer au bout du bar pour ne pas entendre les conversations, il s'était quand même retrouvé témoin du manège de deux gros caves venus boire des bières en parlant trop fort à la serveuse Denise, la cinquantaine bien tassée, qui en avait vu d'autres et qui avait pour principe de toujours être d'accord avec les clients. Les deux bûcherons du comptoir avaient vite commencé à parler de René Lévesque qui, pour une fois, le gars du coin, Premier ministre né à Campbellton, avait enfin fait quelque chose de bien. Pour une fois qu'il ne les faisait pas chier avec l'indépendance mais qu'il donnait une leçon aux Indiens, c'était pas trop tôt. Le plus gros des deux, à la fin de chaque phrase, disait «hein, ma Denise?» pour que la serveuse approuve par son silence ou un hochement de tête. Leclerc avait décidé de changer de place et, le voyant se lever, le gros bûcheron l'avait apostrophé :

—Heille, man, es-tu tout seul? Viens prendre une bière. C'est ma tournée. On fête la guerre contre les Indiens!

Leclerc n'avait pas pu résister, il s'était levé et s'était avancé à pas lents vers les deux hommes, devant le bar. Denise avait compris avant tous les autres ce qui était en train de se passer. Elle avait écarquillé les yeux et ouvert la bouche sans pouvoir intervenir. Leclerc s'était approché à vingt centimètres de la face de celui qui venait de parler pour lui dire :

—T'es juste un ostie de colon.

Il n'avait pas fini d'articuler que son pied droit balayait le tabouret du gros, qui perdit instantanément l'équilibre et s'étala de tout son long sur le plancher du bar. Le second n'avait pas encore eu le temps de réagir que l'impact du poing gauche de Leclerc dans son estomac lui coupa le souffle. Hébétés et sonnés, les deux gars n'étaient pas en état de répliquer, tout s'était passé trop vite. Le silence régnait dans l'établissement. On n'entendait plus que la toune de Charlebois : *« Eastern, Western, pis Pan American...»* Leclerc était déjà dehors et le gros en train de se relever criait dans son dos :

— M'as te tuer, mon ostie de charogne à marde. Attends-moé au tournant !

Leclerc était monté dans son jeep et avait démarré pour rentrer chez lui.

PEUR DE PERSONNE

Mario Trudel a fini son secondaire à dix-huit ans. Ses notes avaient toujours été sous la moyenne, il avait redoublé son secondaire deux. Sa mère le battait. Son père était plutôt alcoolique. Son frère trisomique passait la semaine en résidence spécialisée. Mario avait toujours rêvé de devenir policier, comme pour se venger. Quand il était petit, à la moindre saute d'humeur, sa mère disait qu'elle allait appeler les bœufs. « Si t'écoutes pas ta mère, y vont venir te chercher pour te mettre en prison, mon p'tit crisse. »

Alors, très tôt, le petit Mario avait compris qu'il ne serait jamais autant à l'abri que s'il portait lui-même l'uniforme.

Et c'est ce qu'il avait fait. Il avait réussi à intégrer la formation. Il avait presque échoué au test de logique, mais son score parfait en endurance physique lui avait ouvert les portes de Nicolet[1]. Mario Trudel était devenu une police. Sa mère allait fermer sa maudite grande gueule! Il n'aurait plus jamais peur de personne.

---

[1]Nicolet : ville qui abrite l'École nationale de police du Québec.

Les seuls Indiens que Leclerc avait croisés quand il était enfant, ailleurs que dans des films de cow-boys, étaient les Hurons de L'Ancienne-Lorette. Il fallait traverser leur village pour monter à Valcartier, à Stoneham ou encore plus au nord. Le chef huron Max Gros-Louis apparaissait parfois à la télé, surtout pendant le Carnaval de Québec. Quelques jours avant son septième anniversaire, son père lui avait promis un arc et des flèches. Pour faire rêver davantage son fils, il avait dit qu'on irait chercher l'arme chez les Hurons. Par un après-midi bleu de février, ils avaient roulé dans une petite ville ordinaire. Ils avaient trouvé un faux tipi en bois portant l'inscription SOUVENIRS GIFTS BIENVENUE WELCOME. Il n'y avait pas de vrais arcs à vendre, seulement des yoyos décorés de perles, des tambours à grelots, des lances en caoutchouc, des sculptures d'aigle en bois, des tapis en laine, des castors empaillés, des pendentifs en queues de raton laveur et des tomahawks en plastique.

Le problème des Amérindiens du Québec, et même de tout le nord-est de l'Amérique, c'est qu'ils n'ont jamais eu de chevaux. Des Indiens sans chevaux, c'est un peu comme des pirates sans bateau ou des cow-boys sans chapeaux, ça fait moins sérieux, c'est moins glamour. Hollywood a imposé l'équation suivante :

Indiens égale *chevaux*. En expulsant les Indiens sans monture de l'écran, Hollywood les a chassés de notre imaginaire. Alors les Hurons de L'Ancienne-Lorette ont continué à vendre des paniers en osier faits main et des tomahawks en plastique *Made in China*.

3000 TONNES

Quelques jours après sa démission, Leclerc avait croisé un collègue qui l'avait mis au courant de la prochaine descente. En pleine crise, le ministre n'avait pas eu de meilleure idée que de renvoyer la police dans la réserve. Les Mi'gmaq avaient supposément remis leurs filets à l'eau. Puis il y avait eu les barricades. Le ressac de la vague d'indignation avait attiré tous les activistes de la cause amérindienne dans la baie des Chaleurs. Le gouvernement québécois avait joué la carte de l'intimidation et la stratégie était en train de se retourner contre lui. Tout ce que le pays comptait d'organisations des droits de la personne avait les yeux tournés vers la province francophone du Canada. Le collègue disait avoir pas mal jasé avec un avocat de Vancouver arrivé le lendemain de la première attaque. Selon lui, René Lévesque se foutait du saumon. Pourquoi se serait-il préoccupé des six tonnes annuelles pêchées dans le sud de la Gaspésie par les Indiens alors que les pêcheurs sportifs de l'est du Canada en sortaient cent fois plus, huit cents tonnes l'an, de la Nouvelle-Écosse jusqu'à Terre-Neuve? C'était encore pire au large des côtes. Les bateaux-usines capturaient trois mille tonnes de saumon par saison (et ça, c'était sans compter les centaines de tonnes d'autres poissons rejetés à la mer parce que trop petits ou pas assez rentables). Selon l'avocat en question, cette descente ordonnée par le ministre était un tir de semonce de Québec en direction d'Ottawa. C'était une manière pour René Lévesque de mettre de la pression sur le gouvernement fédéral de Pierre-Elliott Trudeau. Les réserves indiennes du Canada relevant du gouvernement fédéral, s'y attaquer était une manière de remettre en cause le pouvoir central. Après l'échec du référendum québécois, Trudeau avait accéléré les négociations pour modifier la constitution du pays et y adjoindre une charte des droits et libertés qui amoindrirait le pouvoir des provinces. On parlait du rapatriement de la Constitution, puisque le pays était une monarchie constitutionnelle toujours gérée par la couronne britannique. Donc Lévesque avait fait cette descente pour «faire chier Ottawa». Le conflit entre le Québec et le Canada s'invitait dans les affaires indiennes. C'était une manière de dire qu'on entendait garder son pouvoir sur tout le territoire, et les Indiens devenaient de simples pions dans une partie d'échecs plus vaste. Leclerc écoutait tout ça. Il était plus dégoûté que jamais. Mais ce n'était pas la première fois que ce coin de pays se retrouvait au milieu d'un conflit politique majeur. Ici avait déjà eu lieu la bataille de la Ristigouche en 1760. Les Français, malgré l'aide des Mi'gmaq, avaient perdu face aux Anglais. Le Canada était devenu britannique. Après cette discussion avec son ancien collègue, Yves Leclerc se félicitait plus que jamais d'avoir démissionné de son poste de garde-chasse.

BLANCHEUR

Leclerc avait compris les Indiens dès sa première année en Gaspésie. Il patrouillait au nord de la réserve de Restigouche quand il avait reçu un appel d'urgence lui demandant de se rendre sur la route du lac. Premier arrivé sur les lieux, il avait sauvé deux chasseurs d'un lynchage certain. Les pauvres gars étaient en train de hisser un énorme orignal dans la boîte de leur pick-up. C'était un spectacle surnaturel, car l'immense *buck* qu'ils avaient abattu était entièrement blanc. Leclerc avait entendu parler d'orignal albinos, mais n'en avait encore jamais vu. En découvrir un dans un pick-up, une longue tache de sang sur son pelage immaculé, lui avait fait un choc. Ça lui rappelait le Christ en croix dans l'église de son enfance, dont les flancs ensanglantés étaient régulièrement repeints en rouge pour la plus grande édification des fidèles. Intrigués par des coups de feu sur leur territoire, une dizaine d'Indiens avaient surgi près du camion. Pour les Mi'gmaq, l'orignal blanc est un animal sacré. Ils étaient dans une colère noire et refusaient de laisser les deux chasseurs repartir avec la carcasse. À l'approche des lieux, Leclerc avait entendu trois coups de feu. Sur place, il avait compris que les chasseurs, désespérés, avaient tiré en l'air en guise d'avertissement. Les Indiens n'étaient armés que de haches et de bâtons mais ça promettait de dégénérer.

Leclerc était arrivé à temps. Il avait vu l'orignal et s'était interposé. Il était écœuré mais les papiers des chasseurs étaient en règle. Ils avaient les bons permis, avaient tué l'animal correctement. La première balle avait touché la cible. Lui-même se demandait ce qu'il aurait fait s'il s'était retrouvé avec cette bête hors du commun dans sa visée. Qu'aurait-il fait de cette blancheur sacrée dans sa ligne de mire ? Les chasseurs, eux, avaient tiré. Peut-être étaient-ils en train de le regretter mais ils refusaient de refiler leur gibier à une bande de sauvages enragés. Les Indiens criaient des mots en mi'gmaq et en anglais. Ils prenaient Leclerc à partie, répétant que cet orignal appartenait à la terre de leurs ancêtres, qu'aucun être humain n'avait le droit de tuer le *tia'm* blanc.

Une terrible légende remontait au temps des premiers colons français. Un ancien soldat de Louis XV, installé dans les nouvelles terres du royaume, avait tué un orignal blanc un jour d'*Apiknajit,* le mois de février en langue mi'gmaq et qui signifie «la neige aveuglante». Il s'était réjoui de cette prise qui allait peut-être permettre à sa famille de tenir jusqu'au printemps. Mais un Indien, témoin de la scène, était parti chercher des renforts. Douze guerriers étaient venus capturer le colon, sa femme et sa fille de sept ans. Pour le punir de son sacrilège, les Indiens avaient mis l'homme à nu dans la neige de février. La tête de l'animal ayant été vidée, on la posa sur la sienne et on le poussa à courir vers le lac gelé. Femmes et enfants, armés de bâtons, criaient autour de lui et le dirigeaient vers le lieu du dernier sacrifice : un grand trou percé dans la glace du lac. Les hommes formaient deux haies où devait s'engouffrer le supplicié travesti en une sorte de dieu-animal. L'homme courait dans la neige, aveuglé par son masque de chair à l'odeur de sang. Il ne sentait plus ses membres, mais les brûlures des coups sur son corps dans le froid continuaient à le faire avancer. Il titubait sur le lac, tenant à deux mains le panache qui lui écorchait la tête. Les Indiens redoublaient de véhémence et, quand il arriva à quelques pas de sa destination finale, il entendit le cri de sa femme et de sa fille qu'on avait amenées jusqu'ici afin d'assister au sacrifice. Elle cria « Pierre », elle hurla « Papa » tandis que deux guerriers le précipitaient dans le trou noir où se formaient des cristaux de givre. L'homme ne sentit rien. Il s'enfonça dans l'eau avec le panache sur la tête et disparut, aspiré par le tourbillon de son propre poids, emportant avec lui les bois de sa proie sous la glace, à plusieurs mètres de profondeur. Le groupe d'Indiens forma un large cercle autour du trou, des chants furent scandés. Puis la femme de l'homme, qu'on avait enveloppée dans la peau de l'orignal albinos, fut jetée dans le trou à sa suite, sans plus de cérémonie. La petite fille de sept ans, qui s'appelait Blanche, poussa un ultime cri, son dernier mot : « Maman ». De ce jour, prise de folie, elle ne prononça plus jamais une parole. Elle fut élevée par le clan. Elle eut un mari. On dit qu'elle vécut plus de cent ans. Aujourd'hui encore on dit qu'elle hante la forêt la nuit, un panache d'orignal sur la tête, drapée d'une fourrure blanche pour finir d'expier le crime de l'homme blanc.

Leclerc avait longuement négocié. Les chasseurs étaient dans leur droit. Lui représentait la loi. Même s'il ne pouvait s'empêcher de voir dans les yeux des Indiens une douleur réelle, une colère juste, il devait appliquer le règlement. C'était encore ici un peu leur terre, du moins à quelques dizaines de mètres près, puisque les chasseurs avaient sans doute à un moment empiété sur les limites de la réserve. Cela permettait une ouverture. Leclerc avait donc proposé un compromis. On finirait d'installer l'orignal dans le pick-up et on le porterait au village pour une cérémonie le soir même. Les Indiens découperaient la carcasse selon la tradition. La viande serait bénie et apprêtée selon les rites ancestraux. Les chasseurs pourraient ensuite repartir avec le panache et la moitié de la viande. Les Indiens garderaient l'autre moitié, et la peau. Les deux chasseurs, pour avoir la vie sauve, acceptaient de participer à la cérémonie au cours de laquelle ils devraient s'excuser devant tous les membres du clan. Leclerc, trois autres gardes-chasse et autant de policiers seraient autorisés à y assister pour s'assurer que tout se passe comme prévu.

On avait escorté les chasseurs jusqu'à l'église. Au bord de l'eau, on avait allumé un grand feu et monté deux troncs d'arbres en X pour attacher la bête blanche par les pattes de derrière. Puis il y avait eu les chants, les prières, un couteau, et l'orignal ouvert, de la gorge au bas du ventre. Les viscères s'étaient répandus sur une peau de chevreuil placée au sol. Vers quatre heures du matin, les deux chasseurs avaient chargé leurs quartiers de viande et le panache de l'orignal blanc. Leclerc, les yeux rouges et les jambes lourdes, les avait regardés s'éloigner. Ils s'en tiraient vraiment à bon compte.

REINS

Les reins du saumon se métamorphosent selon le milieu aquatique. Quand un saumon passe de l'eau douce à l'eau salée, et vice-versa, ses deux reins subissent des transformations d'anatomie et de fonctionnement. Encore aujourd'hui, les scientifiques ne s'expliquent pas ce phénomène.

Yves Leclerc se souvient que sa grand-mère s'était fait opérer pour des calculs rénaux. Elle avait gardé ses pierres dans une petite boîte à pilules transparente. Encore aujourd'hui, Leclerc ne s'explique pas ce qu'il ressentait en secouant les calculs rénaux de sa grand-mère dans le petit pot en plastique.

BULLETIN DE NOUVELLES

Devant le refus de négocier du conseil de bande de Restigouche, le gouvernement du Québec a décidé d'imposer aux Micmacs de cette réserve d'importantes restrictions quant à la pêche au saumon. M. Ronald Mahoney, administrateur du conseil de bande, déclare : « De notre point de vue, le Québec n'a aucune juridiction sur cette question puisqu'il s'agit de lois fédérales. Nous n'avons donc pas à nous soucier du permis de pêche qu'il nous a octroyé et nous continuerons de pêcher suivant les lois fédérales et celles de la réserve. »

Face aux problèmes de Restigouche, John Munro, ministre des Affaires indiennes et du Nord canadien, a laissé entendre qu'Ottawa pourrait reprendre l'ensemble de la juridiction du secteur. Le ministre québécois Lucien Lessard dit ne pas prendre ces menaces au sérieux. Constitutionnellement, les pêches sont de juridiction fédérale, mais en vertu d'une entente signée en 1922, le Québec s'est vu confier l'administration de ce secteur.

Pour sa part, le chef du conseil de bande, Alphonse Metallic, a affirmé que « Lessard pouvait se mettre son permis là où on pense ».

CROÛTE TERRESTRE

Il y a quatre cents millions d'années, à l'époque du Dévonien, les poissons sont rois. Certains d'entre eux évoluent vers les premiers amphibiens. En surface, insectes et araignées colonisent les forêts de progymnospermes, ces ancêtres des fougères qui répandent dans l'air leurs cellules de reproduction, les spores. C'est de là que viendront les plantes qui se reproduisent avec des graines, comme les arbres et les fleurs. Dans les océans, les requins pullulent et les coraux forment déjà de grands récifs. Au fond d'une baie qui ne s'appelle pas encore la baie des Chaleurs, le frottement de la croûte terrestre et les éruptions de lave dessinent une géographie que fouleront bien plus tard les êtres humains. En fait, sur l'échelle du temps, l'arrivée des hominidés en Gaspésie, entre dix et vingt mille ans de ça, est vraiment insignifiante. Ce sont des groupes qui migrent depuis le détroit de Béring à travers l'Amérique. Contrairement aux futurs Européens, qui n'auront de cesse de conquérir le continent en marchant vers l'ouest, ces hommes et ces femmes progressent vers l'est. Arrivés aux bords de l'Atlantique, ils s'arrêtent et vivent en chassant la baleine, l'orignal, le caribou, le castor, l'ours, l'anguille et surtout le saumon. Ils construisent des huttes en écorce de bouleau et fument des herbes séchées en priant des monstres aux pouvoirs magiques et à têtes d'animaux.

Certains s'installent à l'embouchure d'une rivière qui se jette dans une baie qui s'élargit jusqu'à l'océan. Son eau est salée mais ses marées faibles. Parfois la rivière prend vie. Elle brille, ondule et se gonfle de tellement de poissons que les anciens raconteront longtemps des histoires où l'on peut traverser la rivière en marchant sur le dos des saumons. C'est un endroit où il fait bon vivre. Il y a de l'eau potable, des arbres, du gibier et du poisson à foison. Pendant la saison douce, on récolte, on fait sécher, on fume. Les hivers sont rudes. Il faut un minimum de réserves pour se nourrir au plus froid des jours de l'hiver, quand la neige crisse et que le moindre bout de peau exposé au vent bleuit. Il faut être prêt à survivre. Cela dure pendant des milliers d'années. Cela dure et les anciens racontent le passé à leur manière. Cela dure et le sorcier sait expliquer ces choses. Il sait par exemple dire comment s'est formée cette montagne de l'autre côté de la rivière. Il sait d'où vient cette colline qui se dresse comme un sein dans la plaine. Il s'agit là d'un moment important de l'histoire de ce peuple, de l'histoire qui forme ce peuple, celui des Mi'gmaq. Pour être un peuple, il faut connaître les mêmes histoires, en faire partie.

Un jour, le peuple qui s'installait au bord de la rivière tout l'été pour regarder le saumon remonter remarqua que quelque chose n'allait pas. Il y avait un problème avec le saumon, comme s'il tournait en rond. En fait, à cette époque, les castors étaient très gros et ils avaient construit un barrage si imposant que le saumon ne pouvait plus remonter la rivière pour aller frayer. Si le saumon cessait de se reproduire, le peuple ne pourrait plus le pêcher et s'en nourrir. On tint donc un grand conseil et il fut décidé que les plus valeureux guerriers iraient se battre contre les castors pour détruire leur ouvrage.

Quand les guerriers approchèrent dans leurs longs canots d'écorce, les castors les aperçurent et se placèrent sur le barrage, leur tournant le dos. Quand les canots furent assez proches, les castors se mirent à taper dans l'eau avec leurs énormes queues. Cela faisait de si grosses vagues que les canots étaient projetés vers le ciel et les guerriers tombaient à l'eau. Après plusieurs tentatives, les guerriers comprirent qu'ils ne pouvaient pas vaincre et ils rentrèrent au village.

Il y eut donc un nouveau conseil des sages et il fut décidé qu'il fallait faire appel à Glusgap, le créateur né de la parole. On envoya le messager de Glusgap, le Grand Huard, pour lui demander de venir en aide au peuple. Quelques jours plus tard, Glusgap arriva sur le dos d'une grande baleine blanche et demanda au peuple : « Pourquoi m'avez-vous appelé ? » Le plus ancien expliqua au créateur que les castors avaient fait un barrage si grand que les saumons ne pouvaient plus remonter la rivière pour aller se reproduire et que, si le barrage n'était pas détruit, le saumon viendrait à manquer et le peuple mourrait de faim. Alors Glusgap décida d'agir. Il descendit du dos de la baleine et remonta la rivière au milieu des rapides sans broncher car c'était un géant. Arrivé au barrage, il leva sa massue et l'abattit de toutes ses forces sur la construction en bois. Le choc fut si brutal que les troncs volèrent dans toutes les directions. Plusieurs d'entre eux devinrent des îles dans la rivière. Puis Glusgap saisit des castors par la queue et les fit tournoyer au-dessus de sa tête pour les lancer dans les bois. Celui qu'il lança le plus loin devint une montagne qu'on appelle aujourd'hui *Sugarloaf.* Voyant le reste des castors figés de terreur, le dieu se mit à leur taper sur la tête. À chaque coup qu'il donnait, les rongeurs rapetissaient. Il tapa jusqu'à ce qu'ils atteignent la taille qu'ils ont encore de nos jours. Glusgap revint au village et dit au peuple que désormais les castors ne seraient plus en mesure de construire de barrages assez grands pour empêcher le saumon de remonter la rivière. Il leur dit de ne plus s'inquiéter et, sur le dos de la baleine blanche, il repartit et disparut au bout de la baie. C'est ainsi qu'un plissement de croûte terrestre devint le corps d'un castor géant.

Un ruisseau

Leclerc est sur sa véranda. La jeune fille dort dans la cabane. La chienne monte la garde. Il va à son jeep et s'installe au volant. Il prend une route de terre jusqu'à un chemin forestier. La voie est praticable, il n'y a pas eu de pluie depuis plusieurs jours. Autrement, il en aurait eu pour deux heures de marche. Mais là, il atteint son but en vingt minutes. Au milieu des bois, un wigwam en écorce de bouleau s'élève au milieu d'une clairière. Une fumée blanche monte d'un cercle de cailloux. Un homme penché au-dessus de ce foyer tourne la tête à l'arrivée de Leclerc qui descend, s'avance et pose la main sur son cœur en guise de salutation. L'homme aux cheveux longs et noirs, au visage dur, la soixantaine, semble en grande forme. En guise de réponse, il lui tend une tasse de café chaud en disant que ça fait un bon bout de temps qu'il l'entend monter. William est un Mi'gmaq qui a quitté la réserve depuis des années. Leclerc ne sait pas très bien pourquoi. Des rumeurs circulent autour de la mort de sa femme et de problèmes judiciaires. Il descend sur la réserve une fois par mois pour aller chercher son chèque d'allocation du ministère et c'est tout. Leclerc passe le voir de temps en temps. Ça fait partie de son travail de gardien de la faune. Entre janvier et mars, il vient s'assurer en ski-doo que les nuits boréales n'ont pas emporté cet ermite des temps modernes. Mais là, en plein mois de juin, l'Indien se demande ce qui l'amène. En quelques mots, Leclerc lui parle des deux descentes qui viennent de se produire sur la réserve, de sa démission et de la fille trouvée à Matapédia. Il a besoin de lui pour la guérir. Il ne peut pas la conduire chez un médecin ou à l'hôpital. Elle est en état de choc. Elle a besoin de sa médecine. L'Indien hoche la tête, se lève et va dans sa tente. Il en ressort avec une touffe d'herbes séchées tenues par une lanière de cuir.

—Allons-y.

Un kilomètre avant d'arriver chez Leclerc, William lui fait signe de ralentir puis de s'arrêter, d'éteindre le moteur.

—On va continuer à pied.

Leclerc ne pose pas de question. L'Indien est de ces hommes à qui on ne pose pas de question. Ils descendent du jeep et suivent les ornières au milieu des roches et des racines. Leclerc discerne à travers les branches basses des épinettes la masse sombre de son chalet et surtout un véhicule. Son cœur s'emballe. Un pick-up noir est stationné devant chez lui. L'Indien lui fait un signe. Leclerc continue et l'autre s'enfonce sous les branches basses en évitant de faire craquer le bois mort.

L'ancien garde-chasse essaie de maîtriser sa respiration. Il débouche du chemin, scrute ce pick-up qui lui rappelle quelque chose. Il est surpris de ne pas voir courir vers lui son labrador. Il ne s'interroge pas plus longtemps, monte les trois marches du chalet, tire sur la porte moustiquaire et pousse la porte en bois d'un coup sec. Ils l'ont attachée à une chaise. Elle est derrière la table, en face de la porte d'entrée. La peur qu'il a vue dans ses yeux quelques heures plus tôt après l'avoir plaquée au sol, après avoir entrevu son regard, senti sa détresse, cette frayeur n'est rien par rapport à l'image qu'elle lui renvoie maintenant, poings liés derrière le dos, visage rouge de suffocation, larmes sur les joues, convulsions des épaules et tremblement de tout le corps, dans un silence tout à coup brisé par l'homme assis à côté d'elle, les deux pieds sur la table, une canette de bière dans une main, un .12 à pompe dans l'autre, le sourire fendu jusqu'aux oreilles.

— Heille, chose? On nous fait des cachotteries? On vit tout seul dans le bois avec une petite Indienne? Et on veut pas partager avec les amis? On vient jamais en ville mais quand on vient on joue aux gros bras. On insulte des braves travailleurs en train de prendre une bière. Ben mon gars, on va te donner une petite leçon de savoir-vivre, à toé pis ta blonde… C'est pas ta fille, au moins? Je trouverais ça vraiment dégueulasse que tu vives comme un Indien…

Leclerc est paralysé. Il fixe le fusil pointé entre lui et la fille. Il regarde l'arme comme pour s'y accrocher. Il vacille de rage, de haine, d'impuissance. L'autre le regarde, narquois.

— Je te l'avais dit que je te tuerais, mon ostie de chien sale. Tu vois, on y est. Sauf que tu nous avais réservé une belle surprise avec un beau cul.

À ces mots, Leclerc fait un pas. *Chlac tchac.* Le son du chargement de la cartouche dans la chambre le stoppe net.

— Un pas de plus pis tu vas être obligé de mourir

dans ta cabane comme ton chien. Ça serait dommage de mettre du sang partout quand on a prévu une belle place dehors.

Leclerc cherche sa chienne du regard et la découvre couchée sur le flanc à côté du poêle à bois. Elle ne respire plus. Du sang a coulé de son oreille au sol. L'homme retire lentement ses pieds de la table. Il se lève. Son ventre pend entre les bretelles bleues de son pantalon vert. Il porte une casquette de chasseur orange fluo et une vieille veste à carreaux rouges et noirs. Leclerc pense à un gros porc, et le gros porc fait signe à Leclerc de sortir.

—Toi, ma belle, tu bouges pas, on va s'occuper de toi plus tard avec mon chum.

Son chum, un grand fluet, avec une veste de camouflage et une casquette des Expos, est en train de s'allumer une cigarette en sortant du couvert des arbres. Le gros lui demande s'il a trouvé un bon coin et le grand répond :

—On pouvait pas trouver mieux.

Les trois hommes s'enfoncent dans la forêt. Leclerc est pris en sandwich entre deux .12 à pompe. Le grand est devant et le gros est derrière. Ils arrivent près d'un ruisseau. Le gros ordonne à Leclerc de marcher un peu dans l'eau, de sauter d'une roche à l'autre. Il s'exécute sans comprendre à quoi ça rime. Le grand lui dit :

—Tu vois la grosse roche ici à côté, tu vas t'allonger juste là à plat ventre, à moitié dans l'eau.

Il regarde son acolyte et la pierre et ajoute :

—Faudra pas fesser trop fort. Faut pas lui fendre le crâne sinon ça aura jamais l'air d'un accident. Il faut juste l'assommer et le noyer après. Je pense que si on laisse tomber la roche de pas trop haut ça devrait être correct.

Dans le cerveau de Leclerc, ça se bouscule. Il voudrait agir, saisir un des gars et frapper l'autre, tenter quelque chose, mais il pourrait nuire à son allié. Il faut faire confiance à William, qui ne doit pas être loin. Alors il retient son souffle. Il ferme les yeux dans la boue. Il entend le gros poser son fusil, s'approcher avec ses bottes à cap d'acier et se pencher pour soulever la pierre en forme de carapace de tortue. Elle doit peser au moins quinze kilos. Il l'entend souffler un peu en se redressant et au moment où il l'imagine se placer au-dessus de lui, de sa tête, il perçoit un bruit sourd et sec, comme un bout de fer qui percute un tronc d'arbre gelé, comme un coup de hache dans un bouleau en plein hiver. Le claquement est suivi d'un intense gémissement de douleur puis d'un *ploc!* et du son d'un glissement, le bruit lent et en saccades d'un homme qui tombe sur les genoux et à la renverse. Leclerc, qui a ouvert les yeux, voit sur sa gauche le gros tomber vers l'arrière, comme au ralenti. Il le voit serrer la pierre contre lui et l'emporter dans sa chute sur son ventre. Étendu sur le dos, bouche ouverte, il lâche un dernier râle. Un instant de silence et le grand panique, tourne dans tous les sens et se met à crier le nom du gros.

—Maurice! Maurice! Câlisse, Maurice, quessé que tu fais? Maurice, ostie, lève-toé!

Maurice ne se lève pas, ne bouge plus. Mais Leclerc pivote sur lui-même comme un chat qu'on laisse tomber à l'envers. Il pirouette et son pied droit part d'un coup vers le bout du canon du grand. Il botte l'arme si fort qu'un coup part et que le chasseur se prend le canon en pleine gueule. L'attaque donne le temps à l'Indien de surgir derrière lui, de l'enserrer des deux bras tandis que Leclerc, désormais tout à fait debout, lui assène un autre grand coup de pied entre les jambes. L'Indien lâche prise. Le grand plie en deux. Leclerc relève son genou gauche et lui brise le nez. Le grand hurle mais ça ne dure qu'une seconde, le temps que Leclerc le saisisse par les cheveux et lui envoie une droite qui l'assomme. Le grand s'effondre sur lui-même, à côté de son complice, dont le sang commence à rougir l'eau du ruisseau. L'Indien s'empare du gros, le fait rouler sur le ventre, la hache est toujours là, plantée dans son dos. Leclerc regarde William pour le remercier d'un signe de tête et pendant une seconde il a l'impression de voir William sourire quand il dit :

— Je suis désolé.

Le vieux Mi'gmaq n'avait trouvé d'autre solution que de faire le tour du camp, de ramasser la hache sur un tas de bois et d'attendre. Quand les trois hommes étaient partis vers le cours d'eau, il les avait suivis, sans un bruit, avait attendu et au dernier moment il avait lancé l'arme, la faisant tournoyer sur elle-même vers le dos de l'homme. Le métal affûté avait pénétré la colonne vertébrale dans un angle parfait, imprimant à la masse toute la force nécessaire pour briser en deux les vertèbres sous les omoplates. La lame s'était enfoncée jusqu'aux poumons, avait sectionné une artère et tranché la moelle épinière.

Leclerc regarde le grand assommé par terre. Il regarde l'Indien qui vient de lui sauver la vie. Il agrippe le grand, le tire jusqu'au ruisseau et lui maintient le visage dans l'eau froide assez longtemps pour que le corps se mette à gigoter mollement avant de s'affaler, sans vie.

Les deux hommes regagnent la cabane. La jeune fille a basculé au sol sur le côté droit, toujours attachée à la chaise. Leclerc détache d'abord le bâillon sur sa bouche. Elle crache, essaie de crier mais le son reste dans sa gorge. Ses yeux sont passés de l'effroi à l'incompréhension. Quand elle voit William venir à elle avec des gestes apaisants et une poignée d'herbes guérisseuses, elle le laisse faire et s'abandonne. Leclerc détache ses poignets, ses chevilles, la soulève et la porte pour la deuxième fois de la journée sur le lit de sa chambre. Il la borde. L'Indien vient s'asseoir à côté d'elle. Il pose ses mains sur son visage. Ce sont des mains chaudes et douces pour la jeune fille. Pendant qu'ils restent ainsi, sans bouger, Leclerc sort de la chambre et va chercher des couvertures et de la corde.

L'Odeur des rivières

En langue mi'gmaq, on nomme *taqawan* un saumon qui revient dans sa rivière natale pour la première fois. Il passe de une à trois années en mer. En anglais, on parle d'un *grilse*. En français, s'il revient après un an, on dit un madeleineau. Ce terme fait référence à la Sainte-Madeleine, qu'on fête le 22 juillet. À cette période, on pêche beaucoup de *taqawan*.

Mais avant de revenir, il lui faut éclore et survivre. À la fin de l'été, les mâles et les femelles atteignent l'amont de la rivière. Dans des fosses en gravier peu profondes et bien oxygénées par le courant, les femelles pondent dans l'eau froide de l'automne. Elles ont préalablement creusé des sortes de nids en créant des remous du battement de leurs queues. Une fois les œufs déposés, les mâles y sèment leur laitance. Une ponte peut compter entre cinq et dix mille œufs, dont un seul sur deux mille atteindra l'âge adulte. L'alevin éclot au printemps et porte sous son corps une poche, le sac vitellin, qui le nourrit durant les premières semaines de sa vie. À la fin de l'été, il mesure dix centimètres. L'année suivante, ayant poursuivi sa croissance, il devient un tacon, qui reste en moyenne trois ans dans la rivière. Quand son corps s'allonge jusqu'à quinze ou vingt centimètres et que ses nageoires noircissent, il est au printemps un saumoneau, ou un *smolt,* comme disent les Scandinaves. On parle de *smoltification.* Il est prêt à descendre vers la mer. Le jeune poisson anadrome voit son organisme s'adapter à l'eau salée et entreprend son long périple. Il parcourt l'océan jusqu'aux eaux glacées du Groenland, suivant des courants encore inconnus des biologistes, avant de revenir après une ou plusieurs années. S'il a survécu à la gueule des phoques, aux dents des requins, aux gosiers des goélands, aux becs des cormorans, il retrouve sa rivière d'origine, après des milliers de kilomètres parcourus. On ignore toujours sur quel type de radar le saumon peut compter pour retrouver le lieu exact de sa naissance. Il se dirige peut-être à l'aide de la position du soleil et des étoiles. Sachant que le saumon a un odorat très développé, mille fois plus puissant que celui d'un chien, certains pensent qu'il retrouve sa route grâce à l'odeur des rivières.

Enterrement

Une heure plus tard, après avoir roulé les deux cadavres dans une couverture, après les avoir ligotés et tirés l'un après l'autre jusqu'à leur pick-up, Leclerc revient à la cabane. William lui dit que la jeune fille s'appelle Océane. Elle n'a pas tout dit. Pour l'instant, elle a une forte fièvre. Ils vont devoir rester ici avec elle un moment. Elle a besoin de repos. Pour ce qui est des deux corps, il faudra remettre le noyé à l'eau pour que ça ressemble à un accident. Celui qui a reçu la hache, mieux vaudrait qu'il disparaisse.

Leclerc étend une toile en plastique dans la boîte de son Cherokee et William l'aide à hisser le gros dedans. Leclerc prend la direction du nord-est en suivant un chemin en gravelle, puis un sentier, puis une piste de motoneige. Il va le plus loin possible au milieu des fougères et des épinettes. Quand un rocher lui barre la route et que les branches des arbres se touchent jusqu'au sol, il s'arrête. Ça sent la mousse fraîche. Il sort le corps en sang du gros et vérifie l'enveloppe en plastique pour ne pas laisser de trace. Il tire, pousse et roule le cadavre là où la terre semble plus meuble. Il retourne au camion pour prendre sa pelle et son pic et se met à piocher. Il n'y a rien de pire que de creuser un trou au milieu des bois. L'entrelacs des racines bloque chaque nouveau coup de pelle. L'abondance de pierres et de cailloux freine les plus vifs élans. Leclerc a chaud. La sueur ruisselle sur ses tempes en cette belle journée de juin en Gaspésie. L'humidité des sous-bois se mêle à celle de son corps dans des odeurs de gomme de pin. L'effort physique lui fait du bien. Plus il tape, plus il force, mieux il respire. Depuis le matin, il a agi par instinct. Plus il s'active, plus sa poitrine se détend. Il est en train de creuser un trou pour enterrer un cadavre. Il doit le faire. C'est la meilleure solution. Il ne faut pas y penser, comme il ne faut pas penser aux maringouins et aux mouches noires qui lui rentrent dans le nez, lui collent à la peau. Il doit creuser un trou de la taille d'un homme dans les bois. La terre s'amoncelle autour de Leclerc qui laisse dériver ses pensées vers ceux qui ont pioché cette terre avant lui. Il voit les premiers colons. Il voit les champs de blé, de foin et d'orge qui longent la vallée. Des milliers de kilomètres carrés de forêts qui ont été défrichés comme ça, à la main, à coups de hache, de pelle et de pic. Quand il pense aux étendues de champs à perte de vue, il a du mal à croire que des êtres humains sont arrivés à éclaircir tout cet espace, un pays entier. Ils ont abattu les arbres, un à un, à la force de leur bras, à la force du nombre, à coups de scies et de haches. Ils ont harnaché leurs chevaux de trait pour arracher les souches. Ils ont retourné la terre avec leurs bœufs menés par un anneau dans le nez. Chaque année, au printemps, ils ont ramassé une à une les pierres crachées du sol par le dégel. Ils ont planté le blé ramené de Normandie, d'Auvergne, de Saintonge et d'ailleurs. Année après année, ils ont agrandi le cercle d'herbe autour de leurs cabanes, autour de leurs maisons, autour de leurs fermes. Ils ont planté et récolté pour leur pain, pour leurs bêtes, pour leurs provisions, pour nourrir les enfants, pour construire une église, pour bâtir un village, pour établir un forgeron, pour que s'installent un menuisier, un épicier et bientôt une école avec douze pupitres, puis six enfants, puis sept, puis dix, âgés de cinq à quinze ans, essayant d'apprendre à lire, à écrire et à compter. Plus il creuse, plus il gratte cette terre au milieu des épinettes et moins il arrive à croire que ses ancêtres ont passé leur vie à faire ça. Le résultat est pourtant là. Ils ont tout rasé, tout nettoyé. L'herbe court désormais sur des milliers de milliers d'hectares, comme si c'était tout ce qu'il n'y avait jamais eu ici. C'est ça, la vraie conquête de l'homme blanc. Il a domestiqué le terrain pour étendre ses possessions. Plus les colons étendaient leurs cultures, plus les Indiens devaient aller chasser ailleurs.

Les premiers enfants de l'homme blanc nés ici ne sont pas encore des adultes que déjà l'hiver il est plus difficile de trouver du gibier. Les gélinottes s'envolent plus loin, les lièvres se font plus rares, la forêt qui s'amenuise ne nourrit plus autant. Pendant qu'il creuse ce trou, Leclerc réalise que la culture de la terre a été la première violence imposée aux Mi'gmaq et aux autres tribus par les nouveaux arrivants. Le premier des chocs, et le plus brutal, a été celui de la sédentarisation forcée. En important ici l'idée d'agriculture à grande échelle, sa culture de la culture, l'Européen mettait en péril le mode de vie de ceux qui vivaient ici depuis des millénaires sans jamais avoir pensé à accumuler, sinon un peu de poisson et de viande séchés pour les pires jours de l'hiver. À l'époque de Cartier, les Mi'gmaq n'étaient plus des nomades, mais ils continuaient à se déplacer durant toute l'année sur un espace bien délimité, connu, partagé et préservé en fonction des besoins de chacun. Leclerc avait lu quelque part que, dans l'ancien temps, à la fin de l'automne, le chef du clan octroyait un territoire hivernal à chaque famille puis on se séparait pour survivre aux plus durs mois de l'année.

C'était dans l'ancien temps, bien qu'un temps à peine vieux d'un siècle ou deux. Aujourd'hui, les routes goudronnées permettaient d'acheminer les touristes pendant les beaux jours et de sortir le bois coupé en hiver. L'ancien royaume de Koluscap faisait désormais partie du Québec, du Nouveau-Brunswick et du Maine. Les Basques étaient venus, avant eux les Vikings, après eux les Français et les Anglais. Pour la différence qu'ils avaient rencontrée, qui s'était tenue en face d'eux, ils avaient d'abord eu une sorte d'amitié. Les Blancs apportaient des armes puissantes, des récipients en fer qui duraient toute la vie, les Indiens leur expliquaient les plantes, la médecine et la manière de faire un feu. On avait commencé par se comprendre. On s'était mélangés entre hommes et femmes. Mais à mesure que les hommes avec des barbes se déversaient chaque année plus nombreux sur les plages, du nord au sud, les sympathies s'épuisaient. Certains avaient compris qu'ils avaient plus à gagner par l'exclusion, tant pis si leur prospérité devait s'élever sur la misère du plus grand nombre.

Le soleil commence à baisser, les ombres s'allongent. Leclerc donne un dernier coup de pelle. Le bord du trou lui arrive à la taille. Il a faim. Il s'assoit et regarde la masse sous plastique à côté de lui. Il s'allume une cigarette, écoute le cri des corneilles, le piaillement d'un moineau. Par stridences cadencées, un suisse lance l'alarme quelque part. Yves fait rouler le corps dans le trou. Il jette la terre sur le corps. Il camoufle l'emplacement avec des branches et des fougères.

Les deux mains sur le volant, il avance doucement. Le moteur de son jeep fait un bruit d'enfer dans la solitude des bois. Il a remonté les vitres pour se protéger des maringouins. Une mauvaise odeur plane dans l'habitacle. Il aimerait que ce soit simplement le fait de son imagination. Le corps était pourtant bien enveloppé. Il faudra tout nettoyer, mais pour l'instant il veut simplement arriver au campement et boire une bière. Il veut allumer un feu de bois dehors devant la véranda et entendre le silence de la nuit et le feu qui craque et siffle. Il veut se changer et dormir. Au rythme du mauvais chemin, sa journée cogne dans sa tête et fait éclater des images de corps couchés dans les fougères, de saumons dans les rapides, de trou dans la terre, d'hommes armés et d'un chien mort.

Il rejoint sa cabane, où William l'attend assis sur les marches de la véranda. Leclerc descend du jeep, fatigué, et vient s'asseoir à côté de lui. Ils se taisent. Le Mi'gmaq se lève, rentre dans le camp et en ressort une minute plus tard avec deux bières et une assiette contenant deux sandwichs au jambon.

— Je suppose que t'as faim ?

—Oui. Merci.

Chacun ouvre sa bière. Leclerc cale la moitié de la bouteille. William tète deux petites gorgées avant de dire :

—J'ai creusé un trou pour ton chien derrière. Demain, faudra qu'on s'occupe de l'autre. On va attendre qu'y fasse noir. Je connais un lac. On peut arranger ça.

—Et Océane ?

—Elle dort. Je lui ai donné ce qu'il faut. Elle ne se réveillera pas avant demain. La fièvre devrait passer vite. Avec ce qu'elle a eu, elle a besoin de voir une femme.

—Une Indienne ?

—Une femme.

—Je connais quelqu'un.

Comme un os

Quand ils font griller la viande de castor sur le feu, les Mi'gmaq conservent précieusement les os de l'animal. Quand ils font cuire une outarde dans la braise, après avoir brûlé les plumes et rôti l'oiseau, ils en récoltent soigneusement le squelette. Quand ils mangent du poisson, les arêtes qui ne serviront pas d'ornements ou d'aiguilles sont minutieusement préservées. Si un chien s'empare d'un seul bout d'os, c'est un mauvais présage. Après le repas, les reliques des poissons sont rendues à la mer. Après le festin, les os du castor sont rejetés près des huttes de ses congénères. Après la mangeaille, les ailes, les cuisses, la tête et la carcasse du grand oiseau sont remises dans la rivière ou dans le lac. C'est ainsi depuis des millénaires. Pour que les poissons reviennent, pour que les oiseaux réapparaissent, pour que les castors continuent de nourrir le peuple, comme l'orignal, le lièvre et l'ours, il faut redonner à la nature ce que la nature nous a donné. D'ailleurs, depuis que cette tradition n'est plus observée, il y a parfois dans le cours des choses comme un os.

FRENCH AND INDIAN WAR

Au lendemain de la première descente du 11 juin s'organise un grand mouvement de soutien de la part de toutes les bandes amérindiennes d'Amérique, depuis l'Alaska jusqu'au Mexique. À Montréal, les Mohawks de Kahnawake bloquent le pont Mercier. Une importante conférence des Premières Nations qui a lieu en Colombie-Britannique se déplace à Restigouche. Des délégations de la Commission des droits de la personne du Québec, de la Ligue internationale des droits et libertés ainsi que du Mouvement québécois contre le racisme se retrouvent sur la réserve à titre d'observateurs et de conseillers.

La serveuse annonce en anglais le menu du jour : crème de champignons, club sandwich et tarte aux pommes. C'est ce qu'ils vont prendre tous les deux. L'homme a plutôt cinquante ans, la jeune femme plutôt vingt. Elle est blonde et journaliste. Il est petit et a quitté son poste à l'Université Laval en 1976 pour travailler à la Commission des droits de la personne. Avec son début de calvitie, il supportait de moins en moins l'écart d'âge qui se creusait entre lui et ses étudiants année après année. À chaque automne il se voyait un peu plus vieux alors que ces filles et ces garçons n'en finissaient plus d'avoir dix-neuf ans. Le pire, c'est que le désir qu'il ressentait en début de carrière pour certaines étudiantes ne diminuait pas du tout avec l'âge, il augmentait. Plus il vieillissait, plus elles étaient jeunes et jolies. Il avait besoin de prendre l'air. Il travaillait de plus en plus comme expert à la Commission des droits de la personne et, quand un poste sur le terrain s'était présenté, c'est lui qui l'avait eu. Affecté à la question autochtone, il travaillait beaucoup sur ce qu'on nommait la guerre du saumon, de la Côte-Nord à la Gaspésie.

Pierre Pesant connaît sur le bout des doigts toutes les grandes dates qui touchent de près ou de loin les autochtones du Québec. Nadine Lachance est la fille du cousin du maire, qui l'a fait rentrer à l'hebdomadaire pour l'été parce qu'il connaît bien le propriétaire du journal. Elle ne comprend pas grand-chose à ce qui se trame sur la réserve depuis le 11 juin, mais Pierre l'a invitée à luncher pour répondre à ses questions. Ils se sont parlé pour la première fois dans l'agitation du lendemain de la première descente. La crème de champignons arrive en même temps que le traité de Paris, 1763, fin de la guerre de Sept Ans.

— La France a tout perdu, de l'Acadie jusqu'au Mississippi. La proclamation royale a créé la *Province of Quebec*. Seul le roi avait le droit d'acheter des terres aux Indiens.

Comme le dit souvent Pesant, après la *French and Indian War,* les Anglais avaient intérêt à flatter les Premières Nations dans le sens du poil. La proclamation de 1763 n'était pas un acte de générosité mais une manœuvre politique pour éviter une révolte à l'échelle de tout le continent. Dix ans plus tard, aux prémices de la révolution américaine, le roi avait à nouveau calmé les esprits. Cette fois-ci, il ne s'agissait pas d'amadouer les Indiens, mais les catholiques francophones frustrés par la Conquête. Le roi avait rétabli la liberté religieuse et le droit privé français par l'Acte de Québec en 1774. Il ne voulait surtout pas que les francophones rejoignent les États-Unis et que le Québec se mette à fêter lui aussi le jour de l'Indépendance tous les 4 juillet.

Nadine est un peu mêlée dans les dates mais elle prend quand même des notes entre deux cuillères de soupe. Avec l'arrivée des clubs sandwichs, la prise de notes devient plus compliquée.

—Quand les colonies de la Nouvelle-Angleterre se sont rebellées et que le chiard a pogné, elles ont proposé une alliance aux Canadiens français. On aurait pu se battre contre les loyalistes mais les curés avaient la chienne. Ils ont négocié avec le roi. En échange d'une sorte de protection du catholicisme en Amérique, les Québécois ne soutiendraient pas les rebelles protestants.

Nadine Lachance trempe un coin de club sandwich dans la mayonnaise, le porte à sa bouche et avant de croquer demande :

—Oui, mais c'est quoi le rapport avec les Indiens ?

Pesant a l'impression d'être de retour à l'université. Les questions insipides auxquelles il faut cent fois répondre sans s'exaspérer lui reviennent en mémoire. Il répond calmement.

—Le roi passe le même genre de deal en 1812 avec les Indiens du Canada. Ils sont dix mille à se battre avec les armées royalistes pour repousser l'invasion américaine. À partir de 1870, pour remercier ces vaillants guerriers, on leur enlève leurs enfants pour les emprisonner dans des pensionnats. À grands coups de bâton le matin, de douches froides le soir et de viols la nuit, les institutions vont faire rentrer l'idée de civilisation dans la tête des sauvages.

Nadine, la bouche encore pleine, a arrêté de mastiquer et le regarde avec des grands yeux ronds. Pesant vient de se rendre compte qu'il est peut-être allé trop loin.

—Bon, faut que je mange, moi, je parle trop. Comment tu trouves ça, le métier de journaliste?

La jeune femme ne sait pas trop. C'est tout nouveau pour elle. Elle trouve que c'est compliqué d'essayer de se faire une idée quand tout le monde dit des choses contraires. Pesant ne l'écoute pas. Elle aurait pu être dans un de ses cours à l'époque. Elle a les lèvres brillantes d'huile. Elle est vraiment séduisante. Mais depuis qu'il a cinquante ans, il trouve toutes les femmes séduisantes. Arrivera-t-il à ses fins? Il acquiesce de la tête et reprend la parole.

—Le plus important, c'est l'Acte des Sauvages de 1876. Déjà juste le nom en dit long. Au cas où les Indiens n'auraient pas compris leur place, on leur mettait les points sur les i. Ils devaient «rester dans un statut de tutelle et être traités comme des pupilles ou enfants de l'État».

Est-ce que la femme de vingt ans en face de lui commence à s'ennuyer? Il a certainement trop parlé, mais il se dit qu'il est toujours bon pour un homme mûr de commencer par étaler sa culture dans le jeu de la séduction. Avec sa calvitie, il ne peut plus se passer la main dans les cheveux depuis longtemps, alors il exhibe sa science.

—Tu te rends compte? On considère que les Indiens ne sont pas vraiment des êtres humains normaux, qu'il faut s'en occuper comme des enfants. On est en 1876, sacrament! Rimbaud écrit *Une saison en enfer* et Graham Bell passe le premier coup de fil de l'histoire!

Cette remarque semble avoir plu à Nadine, même si *Une saison en enfer,* c'était en 1873. À moins que ce soit la bouchée de tarte aux pommes qui la ravisse autant. C'est vrai que la tarte est bonne, mais la fin du repas approche. Nadine a parlé d'un rendez-vous. Elle ne veut pas être en retard. Pesant calcule ses chances. Il a encore pas mal de dates dans son répertoire, et quelques anecdotes.

—Écoute, si tu veux, on peut prendre un verre à soir. Je vais passer l'après-midi sur la réserve. Si j'apprends quelque chose, je pourrai t'en parler.

—Ce soir je ne peux pas, mais demain c'est possible. Avec plaisir.

—Parfait! Parce que je ne t'ai pas tout dit. Imagine, en 1936, le ministère des Affaires indiennes du Canada a été rattaché au ministère des Mines et des Ressources!

Pesant insiste pour payer. Il lui tient la porte en sortant et la complimente sur son sac à main.

CLÉOPÂTRE

On a retrouvé dans des grottes préhistoriques du sud de la France des représentations rupestres d'hommes pêchant de grands poissons avec une ligne. Il s'agirait de saumons. Sur certains vases étrusques, des hommes pêchent des poissons avec une canne. La plus ancienne représentation d'un pêcheur à la mouche se trouve sur un temple égyptien du quatorzième siècle avant Jésus-Christ. Dans l'Ancien Testament, au livre du prophète Habacuc, il est question de celui qui enlève avec l'hameçon. On raconte que la grande Cléopâtre allait à la pêche. En tant que reine, il était hors de question qu'elle rentre bredouille. De jeunes plongeurs avaient pour ordre d'accrocher à sa ligne des poissons préalablement capturés. Ce que la souveraine ne savait pas, c'est qu'on la privait ainsi des plus belles histoires de pêche : celles où le plus gros poisson s'échappe de justesse.

On a tous du sang indien

En ce vendredi soir de décembre, elle pense déjà à son retour en juin prochain. Elle va retrouver son coin de pays et un peu de civilisation. Elle rêve à la chaleur, au soleil, au sable chaud de juillet sur une plage des Landes. Elle a quitté le sud-ouest de sa France natale pour venir enseigner dans un coin reculé du Québec, dans le nord-est de l'Amérique. C'est comme ça qu'elle s'est retrouvée au confluent des rivières Matapédia et Ristigouche, à la frontière entre la Gaspésie et le Bas-Saint-Laurent.

Caroline Seguette enseigne à la polyvalente depuis l'automne. Elle se fait à sa nouvelle vie, mais ce soir, alors que le mercure marque moins vingt-deux et que le vent remonte la rivière gelée en rafales, elle rêve de bains de mer et de verres de vin en terrasse. Il fait tellement froid qu'une couche de glace s'est formée dans la maison, au bas des fenêtres. On lui a dit que c'est normal. Quand il fait si froid dehors et si chaud dedans, même le double vitrage n'empêche pas la condensation et le gel au bas des vitres. Il est parfois même difficile d'ouvrir la porte d'entrée coincée par le givre. Elle n'arrive pas à s'y faire. Même si les plinthes électriques presque rouges tiennent la maison au chaud, elle rêve la nuit qu'elle tombe dans la rivière et se retrouve enclose dans un bloc de glace en forme de cercueil, les mains à plat devant elle comme pour repousser un danger. Les yeux grands ouverts, elle se voit couler au fond d'une eau sombre, entourée de longs poissons brillants à gueule crochue. Ils attaquent la glace qui l'enveloppe pour la dévorer.

Ce soir, sa petite maison en planches vertes n'arrive pas à contenir sa solitude. C'est vendredi, il fait froid, elle a envie de voir des gens. Elle prend son courage à deux mains et décide qu'elle va aller dans ce bar, sans doute pas le meilleur endroit pour une jeune institutrice de vingt-quatre ans dans un pays étranger, mais le seul qu'elle connaît pas trop loin. Elle enfile ses collants en laine, son pantalon le plus chaud, deux paires de chaussettes, une camisole et un col roulé. Elle met son manteau d'hiver, parce qu'ici au Québec il y a des manteaux d'automne, des manteaux de printemps et des manteaux d'hiver. C'est le genre de parka qui, une fois sur ses épaules, lui rappelle systématiquement l'expression «chape de plomb». Après le foulard, la tuque et les mitaines, elle peut enfin sortir pour aller faire chauffer la voiture. Elle s'est trouvé une Renault 5 pendant les deux premières semaines qu'elle a passées à Montréal. C'est comme ça qu'elle est descendue en Gaspésie. Ici, la pub a fait de cette voiture un *Chameau*. Comparée à celle des grosses américaines, sa consommation est imbattable. Pour dépenser moins d'essence, il faudrait marcher. Mais en ce soir glacial, c'est hors de question. Caroline veut juste être bien au chaud dans sa traction avant, qui n'a pas peur des routes enneigées. Autre avantage, le moteur de cette voiture française démarre au quart de tour même par grand froid. Jusqu'à moins vingt degrés Celsius, il n'est pas nécessaire de brancher le chauffe-moteur. Voilà autre chose qui l'avait fait sourire au début de l'hiver, quand elle avait vu apparaître des voitures branchées aux murs extérieurs des maisons. Elle avait mis du temps à comprendre à quoi servaient les prises électriques qui pendaient sous les capots.

Caroline est dehors, le froid gifle ses yeux. Elle ouvre la portière, qui n'est évidemment pas verrouillée. La dernière fois qu'elle a fermé sa voiture à clé par moins vingt, il lui a fallu une demi-heure à coup de bouilloires d'eau chaude pour dégeler la serrure. Elle tire le choke à fond, appuie trois fois sur l'accélérateur et la Renault démarre du premier coup. Elle attend une bonne minute que le moteur prenne son rythme. Elle lance le dégivreur arrière et le chauffage. Elle repousse légèrement le choke et repart dans la maison. Elle enlève son manteau, garde ses bottes. Elle se mouche, vérifie combien elle a d'argent dans son portefeuille : deux billets de vingt. Elle éteint la lumière du salon et celle de la cuisine. Elle allume la veilleuse de la hotte au-dessus de la cuisinière. Elle entend le moteur qui tourne de plus en plus vite. Elle remet son manteau, ressort, repousse le choke pour diminuer le régime du moteur. Elle rentre de nouveau, en profite pour s'appliquer une bonne couche de baume sur les lèvres. Elles ont commencé à gercer à la simple idée du froid. Cinq minutes plus tard, elle roule enfin vers la ville. Sur la route gelée qui longe la rivière immobile, elle distingue à peine les lignes au sol sous la fine couche de givre blanc de neige et bleu de glace. Elle arrive dans le parking du bar Le Moderne. Il n'y a que deux voitures. Il est encore tôt, mais qui a envie de sortir dehors à vingt heures un vendredi quand on annonce une nuit à moins vingt-six? À part elle, pas grand monde. Elle est arrivée ici en plein mois d'août, sous une humidité continentale collante. Il suffisait d'allumer une cigarette pour avoir trop chaud et sentir les gouttes de sueur glisser sous les aisselles. Elle a repeint sa chambre en blanc avec l'impression d'être dans un sauna. Le contraste qu'elle ressent dans les os, entre ce moment et ce qu'elle a éprouvé à la fin de l'été, est si discordant que son cerveau n'arrive pas à conclure qu'il puisse s'agir du même pays. Elle sort de la voiture, monte un petit escalier glissant et tire la porte d'entrée. Elle se retrouve dans un sas où un panneau indique que le vestiaire est fermé. Elle tire une seconde porte. Une bouffée de chaleur lui rend la sensation d'humidité du mois d'août. Il doit faire au moins vingt-cinq degrés. C'est l'été avec le soleil en moins et les odeurs de bière et de tabac froid en plus. Un couple joue au billard. Il est en veste de chasse carreautée. Elle porte un t-shirt de Judas Priest. Ses seins font gonfler l'image de la lame de rasoir sur l'album *British Steel*.

Après avoir posé son manteau sur le dossier d'une chaise, elle se tire un tabouret au bar. Elle est déjà venue ici deux ou trois fois cet automne avec des collègues de l'école. La barmaid la reconnaît et lui demande comment ça se passe avec les élèves et ce qu'elle veut boire. Elle veut boire une bière. La barmaid pose la bouteille devant Caroline et se tourne vers un homme assis un peu plus loin en disant :

— C'est la Française qui fait l'école à Matapédia.

Il hoche la tête et lâche un léger «salut» dans sa direction. Il est vraiment tôt et le bar est vraiment vide. Le DJ n'a pas encore monté le son. Steppenwolf chante doucement «*I said God damn, God damn the pusher man...*».

Même s'il est penché sur sa bière, les deux coudes sur le bar, elle devine qu'il est grand et élancé. Il porte la moustache de ce début des années quatre-vingt et un cuir droit, quelque chose entre le blouson de flic et la veste de motard. Il lève la tête. Il a un petit quelque chose d'Elvis, le cheveu noir et la paupière tombante. Il se tourne vers elle :

— Alors, vous êtes française ?

— Oui.

— Vous aimez l'hiver ?

— L'hiver je ne sais pas, mais le froid, pas du tout.

— Donc, vous n'aimez pas l'hiver.

Elle lui retourne la question et il change de tabouret pour s'approcher et répondre. Il se lance dans quelque chose d'assez surprenant. C'est pour elle comme une fiction.

— Je suis né dans le froid. La glace et la neige sont dans mes veines. Il n'y a pas de ciel plus clair et d'air plus pur qu'au milieu de l'hiver. Il n'y a pas d'odeur plus parfumée que celle de la neige fraîchement tombée sur les branches des sapins. Il n'y a pas de silence plus parfait que celui d'une nuit étouffée sous les flocons d'un début de tempête. J'aime cette saison parce que les choses y sont claires. On sait exactement ce qui se passe dans les bois quand tout est blanc. La moindre forme de vie laisse une trace. Les branches sans feuilles permettent de voir clairement les corneilles en haut des cimes. Les rivières sont des routes pour s'enfoncer au plus profond de l'inconnu. On n'est pas emmêlé dans les broussailles, on file droit, en raquettes ou en ski-doo. C'est une sensation de fuite qui n'est possible que dans la neige. Ceux qui se plaignent du froid n'ont jamais passé une nuit dehors à moins quinze devant un feu de camp et sous la lune qui éclaire comme en plein jour.

Il a vraiment l'air sincère. Ses yeux se sont mis à briller. Elle a envie de lui demander s'il a un peu de sang indien pour parler ainsi mais elle sait que c'est la dernière question à poser à quelqu'un dans ce coin de pays. Elle a suffisamment gaffé lors de son arrivée pour savoir que le sujet est plutôt sensible. Le vieux fermier qui lui loue sa maison en planches vertes lui a dit :

— Au Québec, on a tous du sang indien. Si c'est pas dans les veines, c'est sur les mains.

Elle préfère donc aborder le sujet de la motoneige, pour lui dire qu'elle n'en a jamais fait de sa vie. Ils commandent chacun une autre bière. De nouveaux clients arrivent. Quand il se lève pour aller aux toilettes, la barmaid s'approche et se penche vers elle avec un air entendu :

— C'est Yves, un bon gars. Il est garde-chasse. On le voit pas souvent parce qu'il vit pas mal tout seul dans sa cabane dans le fond du bois.

Deux jeunes boutonneux viennent commander un pichet de draft. Le plus grand des deux dit à l'autre :

— Je te gage vingt piasses que Mike Bossy va égaliser

le record de Maurice Richard. Cinquante buts en cinquante matchs, tu vas voir, mon gars, prépare ton cash !

Le DJ a monté le son. John Lee Hooker chante : « *I'm in the mood, baby, I'm in the mood for love.* »

OUTARDES

Ce soir-là les enfants ont faim et envie de s'amuser. Ils demandent à leurs mères s'ils peuvent prendre le canot pour aller attraper quelques outardes. Les mères sont d'accord. Ils sont cinq, de six à douze ans. Ils prennent les bâtons et la torche et sautent dans le canot qui glisse doucement vers le large. La mer est calme. C'est une nuit sans lune. On n'y voit rien, sauf à se faire mal aux yeux pour discerner des ombres et des formes. Les enfants savent où ils vont. Ce n'est pas leur première chasse à l'outarde, surtout pour les deux plus vieux. Alors, quand ils sentent qu'ils ne sont plus très loin, les pagayeurs donnent une dernière impulsion à l'embarcation pour qu'elle se range au milieu des oiseaux endormis sur les eaux de la baie. Pour les volatiles, cette chose en écorce de bouleau n'est rien d'autre qu'un tronc d'arbre porté par le courant. Les enfants allument la torche d'écorce. Le plus jeune la brandit au-dessus de sa tête en criant comme un guerrier. Le flambeau perce la nuit et c'est la panique dans les rangs des outardes. Réveillées en sursaut par cette lumière jaillie de nulle part, elles se mettent à voler dans tous les sens, s'approchant du jour artificiel sans comprendre ce qui se passe. Ce qui se passe, c'est que les enfants, munis de longs gourdins, tapent et frappent dans toutes les directions et cognent sur les oiseaux affolés et en déroute. Les coups ne tuent pas directement les volatiles. Il suffit de les étourdir, de leur agripper le cou quand ils tombent, de les jeter dans le canot et de faire une incision au couteau sous la gorge. Les cinq enfants reviennent au village avec chacun une outarde au bout des bras. Ils sont fiers. C'est une grande chasse de nuit pour les futurs adultes du clan, le gage d'un avenir prospère, selon les anciens.

La mouche sèche est reconnue pour sa flottabilité, c'est l'une de ses caractéristiques essentielles. On l'utilise surtout à partir de la fin juin, alors que la température de l'eau augmente. Beaucoup de saumoniers ont eu l'occasion de constater que *Salmo salar* attaque la mouche sèche lorsque l'eau est claire. Quant à la couleur des mouches à utiliser, beaucoup de pêcheurs aiment se fier au vieil adage : « Des mouches claires par temps clair, des mouches foncées par temps sombre. »

TERRE NATALE

C'est un drôle de concept, la terre natale. Ce sont de drôles de concepts, le territoire, la culture, la langue, la famille. Comment ça fonctionne, dans la tête des humains? Ils sont les enfants de leurs parents. Ils naissent au sein d'une communauté à un moment précis quelque part. Mais d'où vient cette incroyable force collective qui mène le monde depuis toujours: défendre son territoire, son identité, sa langue? D'où vient cette nécessité, comme innée, depuis le fond des âges, qui veut que l'espèce humaine se batte et s'entretue au nom d'un lieu, d'une famille, d'une différence irréductible? Pourquoi mourir pour tout ça?

Bloody Mary

—Il a fallu attendre la fin de la Seconde Guerre mondiale pour que le Canada revoie les lois interdisant aux autochtones de pratiquer des cérémonies comme le potlatch, la danse du soleil ou les pow-wow. Jusqu'en 1960, ceux qui voulaient voter aux élections fédérales devaient renoncer à leur statut d'Indien. Ici au Québec, ils n'ont eu le droit de vote qu'en 1969.

Pesant est une nouvelle fois lancé dans l'étalage de ses connaissances, mais ce soir, au bar de l'hôtel, il s'est promis de ne pas trop en faire. Il faut qu'il laisse parler Nadine davantage. Il faut aussi qu'elle boive un peu plus. Nadine se met à parler de son père qui l'emmenait à la pêche au saumon. Pesant écoute distraitement tout en cherchant à attirer l'attention de la serveuse. Il interrompt Nadine en lui demandant si elle veut un autre bloody mary et reprend la parole :

—Tu sais qu'avec l'Acte des pêcheries de 1858, la Couronne impose les permis de pêche. À partir de là, les Indiens, il faut qu'ils demandent la permission de continuer à faire ce qu'ils font depuis des millénaires. Pour eux, demander des permis pour pêcher, c'est comme demander des permis pour vivre.

—Oui, mais ça, c'était dans le passé, monsieur Pesant.

—Appelle-moi Pierre.

—On est en 1981, Pierre. Faut arrêter de toujours revenir en arrière. Sous prétexte de pêche de «subsistance», de droits ancestraux, les autochtones font n'importe quoi. Avec ou sans permis, ils pêchent avec des filets. Ils vendent leurs poissons dans des grands restaurants jusqu'à Montréal.

—Peut-être, mais les Indiens prennent pas mal moins de poissons que les chalutiers au large de Terre-Neuve. Je veux dire, ça se compare même pas.

—C'est quand même pas une raison. J'espère que Trudeau va arranger ça.

Pesant fait signe à la serveuse.

—Trudeau? Parlons-en de Trudeau et de son maudit livre blanc. Lui et Chrétien ont proposé l'assimilation pure et simple des autochtones.

La serveuse est enfin à leur table.

—Je veux bien un autre bloody, mais sans tabasco s'il vous plaît.

—Juste une bière pour moi.

Avec l'âge, Pesant supporte moins bien l'alcool fort. Les bloody lui montent à la tête. Et quand il est question de Trudeau, il a du mal à garder son calme.

—Oui mais Pierre, Trudeau a fait tellement de bonnes choses pour le Canada.

Faut vraiment qu'il la trouve jolie pour ravaler la réplique cinglante qui lui vient aussitôt. La serveuse pose les consommations sur la table. Pesant prend une grande gorgée de Laurentide.

—Tu sais qu'en ce moment, le problème à Restigouche est surtout un problème de juridiction. Québec gère la pêche sur le territoire de la province, Ottawa gère les réserves partout au Canada. Là, on a un problème de pêche sur une réserve. Selon le ministre Munro, le fédéral pourrait reprendre les droits de pêche du Québec. Paraît que Lévesque aurait dit à Munro de fermer sa gueule!

—Voyons, Pierre, le Premier ministre du Québec ne devrait pas parler comme ça.

Pesant s'excite, ça l'excite, ces petites guerres politiciennes, mais pas autant que les beaux grands yeux de Nadine. Il reprend une gorgée de Laurentide. Elle écrase son quartier de citron entre le pouce et l'index.

—C'est vrai, mais regarde ce que Québec a réussi à faire avec la baie James. Trudeau… Comment un gars à l'origine de la Ligue des droits et libertés a-t-il pu retourner sa veste comme ça? Mon père l'aurait traité de vire-capot, pis moi je… Quand on a des chefs comme ça, on comprend mieux ce qui se passe dans les réserves depuis des années.

—Ben voyons donc, Pierre. Faut pas tout mélanger. C'est compliqué la politique. C'est sûrement pas facile de discuter avec les Indiens.

Nadine a l'impression que quelque chose d'étrange passe dans le regard de Pesant. Il lui ferait presque un peu peur.

—C'est sûr que c'est compliqué d'envoyer la police dans le bois dire aux Indiens : « C'est fini! Fermez vos gueules pis faites comme on vous dit! » Ça fait trois cents ans qu'on leur prend leurs terres, qu'on leur impose des lois spéciales. Quand ils commencent à protester, on leur dit qu'ils sont comme tout le monde.

Ils sont différents quand c'est le temps de les punir mais comme tout le monde quand c'est le temps de les dédommager.

Pesant n'est pas un pêcheur, mais là il vient de casser sa ligne en tirant trop fort. Il avait pourtant bien ferré au début. Donné du mou, juste assez mais pas trop, gardant la tête de la canne à pêche dans un parfait arc de cercle. Il a bataillé mais n'a pas su être assez patient. La prise a été plus vive que prévu. Il a voulu l'amener au bord alors qu'elle n'était pas encore assez fatiguée. Et la tension trop forte. Au dernier moment, au moment où il se penchait pour le cueillir d'une main, le poisson a donné un grand coup de queue et la ligne s'est brisée. Le saumon a filé sur le gravier dans le courant, disparaissant presque instantanément au milieu de la rivière, sans laisser d'autre trace que des éclaboussures en suspens sous les yeux de l'ancien prof d'université.

Nadine se lève, prend son sac et sort sans payer. Elle dit seulement :

—Merci pour les bloody, monsieur Pesant.

Soupe aux huîtres (10 portions)

36 huîtres et leur jus
3 cuillères à table de gras animal ou de beurre
8 tasses de fumet de poisson
un quart de tasse de farine de maïs
2 têtes d'ail des bois hachées
une demi-tasse de cresson haché
quelques feuilles de menthe sauvage
sel marin au goût

Sortir les huîtres de leur coquille, les mettre dans une casserole avec leur jus et le gras animal (ou le beurre).

Incorporer le fumet de poisson, la farine de maïs et mélanger. Chauffer lentement durant une vingtaine de minutes en remuant.

Ajouter les têtes d'ail, le cresson, la menthe et le sel.

Remuer encore une minute ou deux.

Servir chaud.

22 JUIN

Couché sur le plancher de sa cabane, Leclerc se réveille. Le temps d'ouvrir les yeux, il se dit que la journée d'hier n'a pas eu lieu, mais il voit William déjà affairé au-dessus d'une casserole. Il fait bouillir des herbes. Ils ont veillé autour du feu en silence. C'était un soir de mouches à feu. L'éclat jaune-vert des insectes se mêlait à l'orange des étincelles. La caisse de bières est vide. Océane dort encore. Leclerc se lève et explique à son ami qu'il doit aller parler à Caroline avant qu'elle ne parte au travail. Il monte dans son jeep et roule jusque dans le rang des Anglais. C'est là-bas qu'elle habite. De loin, il voit la Renault 5 garée dans la cour. Elle est là. Il se souvient de s'être moqué de cette voiture. Après avoir constaté qu'elle roulait à merveille sur la neige et démarrait du premier coup dans le froid, il s'était excusé.

Il l'avait raccompagnée chez elle une première fois, puis une deuxième. À la troisième, il l'avait suivie pour un café. Caroline et Leclerc avaient ensuite profité des vacances de Noël pour rester couchés toute la journée, se raconter leur enfance, leurs envies. Ils faisaient l'amour trois fois par nuit et autant le jour. Ils se donnaient des rougeurs au sexe. Elle avait les coudes râpés par le frottement des draps, lui les genoux. Ils baisaient à faire suinter toutes les vitres de la maison pendant qu'au-dessus de leurs têtes les clous pétaient dans la charpente à cause du froid. Le vent soufflait et s'engouffrait dans la baie pour remonter la rivière jusqu'à eux. Cette année, à coup sûr, Noël serait blanc.

L'arrivée de la jeune femme à la fin de l'été n'avait laissé personne indifférent. Une Française de France qui venait enseigner ici à la polyvalente, c'était une nouveauté. On l'avait accueillie à bras ouverts, avec la proverbiale chaleur des Québécois. Elle avait donné ses premiers cours. Elle n'en revenait pas de ce lieu, de ce monde. Au début, elle comprenait à peine un mot sur deux de ses élèves, qui avaient entre treize et quinze ans. Ils lui donnaient l'impression de broyer syllabes et voyelles comme on mâche un chewing-gum.

Caroline et Yves traînaient au lit en se parlant, en se caressant. Ils avaient été leurs cadeaux de Noël mutuels. Grâce à lui, elle avait enfin fait ses premières *rides* de ski-doo. Yves lui avait parlé de son village natal près de Québec. Sa mère était morte quand il avait sept ans, son père était boucher. Sa grand-mère s'était beaucoup occupée de lui. Elle vivait à la campagne. Il adorait aller chez elle. Il passait toutes ses journées dans les bois à chasser et à pêcher. Pour Caroline, la chasse était réservée, en France, à des gens qu'elle ne fréquentait pas. Elle venait des Landes, au sud de Bordeaux. Elle avait elle aussi grandi dans un petit village, mais près de l'océan. L'été, les touristes donnaient vie à l'endroit. Son père était garagiste, sa mère institutrice. C'est un peu pour ça qu'elle avait eu envie de faire ce métier, parce que sa mère lui semblait heureuse.

Leclerc se gare à côté de la Renault 5. Il tourne la clé

pour éteindre le moteur mais laisse la radio jouer pour finir d'entendre ce qui se dit. On y parle des derniers affrontements de Restigouche. Il y a eu de nouvelles perquisitions. Face à la mobilisation indienne, la police provinciale est restée discrète. Pas d'arrestations cette fois-ci. Les négociations piétinent. Le gouvernement accepterait de rapatrier ses troupes si les Indiens démantelaient les barricades. En ce 22 juin 1981, on passe aux festivités prévues le lendemain pour la fête de la Saint-Jean-Baptiste. À Montréal, un grand défilé aura lieu pour la première fois depuis le Lundi de la Matraque du 24 juin 1968, où les manifestants indépendantistes s'en étaient pris au Premier ministre du Canada en criant « Trudeau traître, Trudeau vendu, à bas Trudeau ! ». Leclerc se dit qu'il n'a pas la tête à cette soûlerie collective qui aura lieu demain soir devant un feu de minuit au milieu des odeurs âcres de hasch et de tabac. En conclusion, l'animateur revient sur la première nouvelle du jour, celle qui a ouvert le bulletin :

—Pour terminer, nous vous rappelons la victoire hier en Formule 1 du Québécois Gilles Villeneuve au Grand Prix d'Espagne, au volant de sa Ferrari V6 turbo.

Leclerc retire la clé et descend de son jeep. Il monte les trois marches de la véranda. À huit heures du matin, il sait qu'il est trop tôt pour venir déranger les gens, mais la situation l'exige. Il frappe à la porte d'entrée. Derrière le rideau, il ne reconnaît pas l'ombre qui approche. Leclerc reste figé. Il n'a pas prévu qu'un homme viennne lui ouvrir à la place de Caroline.

Pétun

La harangue achevée, le grand sagamo, l'ayant
attentivement ouï, commença à prendre du pétun,
et à en donner à Pont-Gravé et à Champlain, et
à quelques autres sagamos qui étaient auprès de
lui. Ayant bien pétuné, il fit sa harangue à tous,
dans laquelle il insista sur les avantages précieux
que leur apporteraient l'amitié et la protection du
roi de France. Le tout se termina par les danses
accoutumées, et un festin selon les règles.

BENJAMIN SULTE
Histoire des Canadiens français, 1882

On sait que les Indiens fumaient du tabac, le pétun.
Ce qu'on sait moins, c'est qu'il paraît que les Mi'gmaq
utilisaient le pétun comme médecine particulière
en cas de noyade. Ce type d'accident était assez
fréquent puisque les frêles canots d'écorce chaviraient
facilement. Ceux qui avaient la chance de s'en sortir
récupéraient celui qui avait perdu connaissance et le
tiraient sur la terre ferme. Pendant que quelqu'un
préparait une vessie d'animal ou un bout d'intestin,
habituellement utilisé pour conserver l'huile d'ours
ou de phoque, un autre s'allumait une bonne pipe
de tabac. On remplissait ensuite la poche animale de
fumée en y fixant un bout de bois creux, un morceau
de pipe ou de calumet. Le tube était enfoncé dans les

fesses du noyé préalablement accroché par les pieds à un arbre, puis on pressait la poche pour que la fumée du tabac s'engouffre par l'anus. En général, le noyé dégorgeait l'eau avalée peu de temps après et se mettait à se débattre frénétiquement en découvrant qu'il était pendu à l'envers. Certains disent que l'expression «avoir le feu au cul» proviendrait de cette pratique médicinale ancestrale. D'autres préfèrent simplement parler de pétun dans l'péteux.

SISMÒQONABU

Quand il pense à son grand-père, Yves Leclerc voit des rides sur une peau basanée, une casquette, des bretelles, des feutres de bottes d'hiver qui sèchent près du poêle à bois, et surtout, il n'entend rien. Son grand-père parlait rarement. La seule chose qui l'intéressait, c'était sa cabane à sucre. C'est là qu'il passait le plus clair de son temps. Il partait le matin, traversait le champ derrière la maison, descendait les côtes près de la rivière, passait le pont et remontait vers le bois. Son érablière faisait comme une péninsule à la jonction de deux grands prés. Il les traversait l'été dans le foin, l'automne dans les labours, l'hiver en raquettes et au printemps en mouillant ses bottes et son pantalon. Alors au temps des sucres, il faisait sécher les feutres de ses bottes près du poêle à bois pendant que l'eau d'érable s'évaporait dans les cuves de la bouilleuse de marque Champion.

Avec trois cent cinquante érables, c'était une petite sucrerie, mais le sirop qui en sortait était le meilleur du coin. Son grand-père tirait année après année un sirop de première qualité, clair et délicatement parfumé. Il en vendait un peu, en donnait à la famille, mais surtout il en mangeait beaucoup. Il avait, comme on dit, le bec sucré. Il pouvait se lever la nuit avec une petite fringale et avaler une tarte au sirop d'érable au complet. Tous ses repas se terminaient par des bouts de pain trempés dans un bol de sirop. Le matin, il étalait sur ses toasts du sucre d'érable qu'il avait fait durcir dans des moules en bois.

L'érablière était la fierté de sa vie. Il aimait être dans le bois et, par certains traits, on aurait pu croire qu'un peu de sang indien coulait dans ses veines. Mais ça, à son époque, c'était de l'ordre du tabou. Tellement tabou que le grand-père d'Yves Leclerc n'a jamais su que ce sont les Indiens qui ont découvert comment fabriquer le sirop d'érable, *sismòqonabu* en mi'gmaq. Aujourd'hui, pour son petit-fils, cette ignorance donne au sirop un petit goût d'injustice.

Référendum

Enlacés dans le lit de Caroline, ils viennent de faire l'amour. C'est dimanche matin. La lumière traverse les rideaux sans peine. Depuis son arrivée, neuf mois plus tôt, elle a fini par s'habituer à l'absence de volets aux fenêtres. Elle apprécie les levers du jour dans la lumière. Elle peut regarder Yves se réveiller, il peut la regarder dormir. En ce premier dimanche d'avril, une semaine avant les élections provinciales, Yves repose sur le dos, la tête de Caroline dans le creux de son épaule. Ils ont encore chaud de leurs ébats. Il lui demande pour qui elle voterait si elle pouvait le faire. Ce n'est pas une vraie question, juste une manière d'entendre sa voix, de goûter son accent. La réponse le fait pourtant sourciller : elle mettrait un bulletin blanc dans l'urne. Il penche la tête pour voir si Caroline sourit, si elle plaisante.

— Tu dis ça pour me faire marcher ?

Il s'attendait à une réponse univoque en faveur de l'indépendance d'une nation bâtie par leurs ancêtres communs, à un éloge de la langue française. Il tire un peu la couverture vers lui. Il se mord la lèvre, a l'impression que l'abstention revient à jouer le jeu des libéraux de Trudeau et de Ryan. Elle remonte le drap sous son menton.

— Je pense que le Québec a raison et tort. En France,

on a la question bretonne, le nationalisme basque, les revendications corses… Ils veulent surtout du pouvoir. Mieux vaut bâtir des ponts que des murs, non ? Pour moi, le nationalisme est un mur. Mon grand-père était dans la Résistance. Il a été fusillé. Quand tu parles de nation et de patrie, je ne peux m'empêcher de penser aux collabos. *Nazi* vient du mot *Nationalsozialist*.

Yves s'excuse d'avoir à bouger en délogeant Caroline de son épaule. Il dit qu'il veut boire un peu d'eau. Il se tourne du côté de la table de nuit en prenant appui sur son coude. Il saisit un verre à moitié vide et boit une gorgée. Il repose le verre et se soulève pour s'asseoir dans le lit. Sans cesse de regarder le mur blanc devant lui, il se décide à répondre.

— C'est quoi ce rapprochement avec le nazisme ? Tu vas pas mal vite en affaires. Je suis désolé pour ton grand-père. Nous, c'est les Anglais qui voulaient nous éliminer. Regarde les Acadiens… La bataille de la Ristigouche, c'était ici en 1760. Ça fait deux cents ans qu'on veut nous faire perdre notre langue, qu'on nous traite comme une minorité à gérer.

Caroline est d'accord pour dire que le nationalisme québécois est une réaction à la colonisation plutôt qu'un réflexe identitaire. Pour Yves, ce n'est pas la question. Il est maintenant assis au bord du lit, dos à Caroline.

— Tu veux que je te parle de mon grand-père à moi, qui partait bûcher l'hiver avec les contremaîtres anglais ? Tu veux qu'on parle de 1837 et des Patriotes ? Du rapport Durham ? Tu veux qu'on parle des grosses compagnies qui ont toujours été aux mains des Anglais, toujours à traiter les Québécois comme des moins que rien?

Caroline se lève et va tirer les rideaux. C'est foutu pour la flânerie au lit du dimanche matin. Quelques glaçons pendent au bord de la gouttière qui annoncent le printemps. Elle regrette la question de Yves, qui les a lancés dans cet affrontement. Elle n'a pas envie de ça. Elle veut juste préparer un bon café, traîner et peut-être aller faire une balade sous le soleil dans la neige molle.

—Si on en restait là, Yves? De toute façon je n'ai pas le droit de voter ici. Et puis, il s'agit d'un problème politique plus large. Qu'on parle anglais ou français, c'est la lutte sociale qui est importante. Les riches contre les pauvres, c'est la vraie question, je pense. Tu veux un café?

Elle a dit ça en se dirigeant vers la porte de la chambre. Yves s'est tourné vers elle en ignorant son dos nu, parle un peu plus fort.

—Ben justement, le PQ est le seul gouvernement provincial du bord du p'tit monde. C'est Lévesque qui a nationalisé les compagnies d'électricité américaines. Il les a crissées dehors. Le PQ a passé pas mal d'autres lois sociales depuis 1976. Faut que le Canada arrête de rire de nous autres. L'indépendance est la seule solution. «Maîtres chez nous!», c'est encore vrai. Faut se prendre en main. On a le droit d'avoir notre propre pays!

Prête à gagner la cuisine, Caroline rétorque:

—Alors pourquoi le gouvernement québécois ne veut pas donner aux Indiens ce qu'il demande lui-même au gouvernement canadien? Pourquoi faut-il un droit à la culture et à la langue françaises au Québec à l'intérieur du Canada mais pas de droit à la culture et à la langue mi'gmaq à l'intérieur du Québec?

Leclerc avait vu rouge. Ça lui avait cloué le bec. Il discernait une part de vérité dans les propos de Caroline, mais c'était plus fort que lui, il s'était levé du lit, rhabillé, il avait attrapé son manteau, sauté dans ses bottes et dit en sortant: «Laisse tomber le café.»

Deux minutes plus tard, au volant de son jeep, Yves était hors de lui et roulait trop vite. En beau fusil contre Caroline, contre la discussion, contre lui-même parce qu'il avait posé cette maudite question, il s'en voulait de s'être énervé. C'était pathétique, du mauvais théâtre. Il regrettait son impulsivité, sans arriver à se sortir ces histoires de la tête. Un an après la défaite du «Oui» au référendum, les deux amants se retrouvaient dos à dos à l'instar des partisans d'un Canada uni et ceux d'un Québec souverain. Entre les pro-oui qui voulaient que la province devienne un pays et les pro-non qui souhaitaient rester canadiens, ç'avait été une lutte fratricide. Leclerc voyait encore toutes ces affiches partout en ville, au bord des routes, comme si tous les poteaux de téléphone avaient dû choisir entre un grand NON rouge et un grand OUI bleu. C'était d'autant plus terrible qu'il n'y avait pas de place pour un entre-deux. La nuance était évacuée d'office. C'était oui ou non, pas de position intermédiaire possible. Ç'avait aussi été une guerre de drapeaux le long de la route principale entre les feuilles d'érable rouges comme l'enfer et les fleurs de lys bleues comme le ciel. Il y avait eu tellement de paroles blessantes alors, de violence dans les discours. Des amitiés s'étaient défaites, des familles s'étaient déchirées. Malgré ça, un an plus tard, René Lévesque était réélu.

Yves n'a pas revu Caroline depuis ce dimanche-là, il y a trois mois. Il frappe à sa porte et un homme dans la cinquantaine, petit, le crâne dégarni, vient lui ouvrir.

—Bonjour ?

—Je venais voir Caroline.

—Elle est là, je vais la chercher.

—OK, merci.

L'homme lui tourne le dos et disparaît dans le couloir. Leclerc hésite entre faire demi-tour et attendre. Il reste sur le pas de la porte. L'autre revient.

—Elle demande qui est là.

—Yves.

—OK.

L'homme lui tourne le dos de nouveau. Yves patiente. Il n'est pas encore huit heures du matin mais il trouve qu'il fait déjà trop chaud. Caroline apparaît à l'angle du couloir en robe de chambre, les sourcils en accent circonflexe. Il fait un pas à l'intérieur.

—Je suis désolé. Je ne suis pas là pour moi. J'ai vraiment besoin que tu aides quelqu'un. Je sais que ce n'est peut-être pas le moment. Je sais que je ne t'ai pas rappelée, mais là, il faut vraiment que tu m'aides. C'est qui, lui ?

Elle verse du café dans deux tasses, lui en tend une. Ils sortent et vont s'asseoir sur la table à pique-nique derrière la maison pour parler seul à seul. Caroline lui demande ce qui est arrivé à sa lèvre et Yves se met à raconter qu'il a trouvé une jeune fille au bord de la rivière.

— Elle vient de la réserve. Je suis allé chercher William. Je ne savais pas quoi faire. Elle avait l'air amochée. Elle m'a dit qu'elle s'était fait violer, je n'en sais pas plus. Quand je l'ai trouvée, j'ai voulu la ramener chez elle, mais ce n'était pas possible. Je l'ai amenée à mon camp. On ne peut pas la laisser là-bas. Elle s'appelle Océane. Il faut qu'une femme s'occupe d'elle.

Yves n'a pas besoin d'en dire davantage. Caroline prend les choses en main. C'est son dernier jour d'école. Elle va rentrer tôt. Il peut amener Océane en fin d'après-midi, vers quatre heures.

— Pour ce qui est de Pierre, qui t'a ouvert la porte, ce n'est pas ce que tu crois.

— Je ne crois rien.

— Il est sur la réserve depuis le 11 juin. Il travaille pour les droits des Amérindiens. Il est venu à l'école pour donner une conférence. Il cherchait un endroit pour rester encore quelques jours dans le coin. J'avais une chambre de libre.

— C'est vrai qu'il m'a l'air un peu vieux pour toi.

Yves voudrait détendre l'atmosphère mais Caroline est pressée, elle doit s'habiller, elle pense à ce soir, elle pense à ce dimanche où il est parti sans prendre de café. Elle regrette de ne pas avoir laissé planer de sous-entendus concernant le prof d'université.

— C'est quelqu'un de très bien, de très intelligent. Je comprends enfin les enjeux de la pêche grâce à lui. On dirait que le colonialisme, c'est un peu comme un saumon, tu peux le jeter à la mer, il finit toujours par remonter là où il est né.

Ils marchent vers la maison. Yves finit son café, tend la tasse à Caroline, qui conclut :

—Reviens en fin d'après-midi. Il sera parti et la chambre sera prête pour elle.

CAVIAR

Le soleil s'est couché. La nuit gagne la vallée. Après le repas, on se tient autour du feu. Ce soir, Gitpìgun, «Plume d'aigle», et Tapui'tqamu, «Double flèche», finissent de préparer le canot, le harpon et la torche. Quand il fait complètement noir, ils glissent vers un endroit calme de la rivière. Ils connaissent chaque recoin de ces eaux. C'est une nuit de lune montante. Ils y voient comme dans un jour de pluie. Pendant que Gitpigun maintient le canot au centre du courant, Tapui'tqamu allume la torche en écorce de bouleau badigeonnée de gomme d'épinette qu'il tient au-dessus de la surface. Il fait des mouvements. Il guette dans le noir liquide. Puis l'ombre passe. Attirée par la lumière, la chose rôde. Le monstre s'excite. Plus la torche brûle, plus le poisson s'approche. À la vue du scintillement, il se met à rouler sur lui-même. C'est le moment que choisit Tapui'tqamu pour lancer le harpon d'un coup sec. L'animal s'agite, s'ébroue, s'enfièvre et tente d'échapper à la douleur qui traverse son corps. La tête du harpon est reliée à la proue du canot par une ligne de chanvre. Le poisson essaie de fuir en remorquant derrière lui l'embarcation et les deux Indiens. Le barreur doit habilement manœuvrer. Il faut rester dans la ligne de la course, sinon c'est le plongeon. La fatigue vient vite. Après quelques minutes, la bête est à moitié rompue. Les pêcheurs remontent la ligne et attachent l'animal par la queue pour le remorquer jusqu'au rivage. C'est un esturgeon de la longueur de deux hommes. Demain, il y aura peut-être du caviar au menu.

Le Viol

Après sa visite matinale à Caroline, Leclerc s'est arrêté en chemin pour acheter du pain et des œufs. Il rentre au campement et trouve William assis les yeux dans le vide à la table de la cuisine. Le vieil Indien semble perdu dans ses rêves. Il vient de se retrouver cinquante ans plus tôt, au pensionnat, en 1930. Il a revu d'un coup la petite chambre au-dessus du dortoir, toujours fermée à clé, au bout du couloir où les frères dormaient. C'est dans cette chambre qu'une main blanche l'avait entraîné pendant que tous les autres rêvaient, une main froide accompagnée par un doigt gris posé sur des lèvres rouges qui soufflaient un long chhhuuuttt du fond d'une nuit d'encre. L'enfant effrayé, ne sachant pas s'il rêvait ou s'il était éveillé, ne pensait qu'à une seule chose : ses pieds, ses pieds gelés sur le parquet froid du dortoir puis sur les marches en pierre de l'escalier. On l'avait poussé dans la petite chambre au bout du couloir. On l'avait fait se coucher sur le lit recouvert d'un drap blanc.

Yves demande à William si tout va bien. Il lève les yeux en silence.

—Ça va ? insiste Yves.

—Elle s'est fait violer par trois gars de la SQ, répond l'Indien.

Le soir de la deuxième descente, ils ont laissé sortir

son père, Bob Bany. Il est rentré amoché. Il n'avait pas sa jambe de bois, son visage était gonflé et bleui. On avait battu son père en prison comme un chien. Pour quel crime? Elle est sortie dans la rue un couteau à la main. Elle a couru vers une voiture de police qui barrait la route et les trois hommes qui étaient là l'ont attrapée par le poignet en lui tordant le bras si bien qu'elle a lâché le couteau. Les hommes ont ri. Ils l'ont poussée dans la voiture. Elle s'est agrippée au grillage de sécurité qui sépare le chauffeur des passagers à l'arrière. Elle a voulu l'arracher en hurlant. Elle a craché sur la cage, ses dix doigts en sang. Un des flics l'a coincée et l'a maintenue couchée la tête dans le siège en cuir pour qu'elle se taise. Elle se débattait. La voiture a démarré, roulé un moment sur le chemin qui suit la berge. C'était la nuit. Ils se sont arrêtés au bout d'un quart d'heure. Sur la réserve, les pourparlers s'étiraient. Loin de la rumeur, loin du pont et des caméras, les trois policiers l'ont violée.

Elle perdait la notion du temps. Chaque seconde se dilatait, devenait une heure. La douleur semblait provenir d'un lieu très loin d'elle-même. Elle se coupait de son corps, réflexe de survie, se laissait couler dans le noir et ne ressentait plus qu'un mélange confus de peur, de haine, de rage, d'humiliation, entendait les voix qui l'injuriaient, sans pouvoir les distinguer, sans comprendre.

—Ça doit te changer, de faire ça avec moi plutôt qu'avec ton père pis tes oncles, hein? Vous faites ça entre vous autres d'habitude, hein? Ben, profites-en, ma belle, tu vas voir qu'une queue de Blanc, c'est ben meilleur.

Mais dans la nuit noire, les yeux fermés, elle percevait tout de même comme une lueur, quelque chose qui brillait faiblement dans sa tête, comme les premières étincelles d'un feu qu'on allume, un feu qui, elle le sentait, embrasait la certitude de la vengeance.

En fin d'après-midi, Caroline a fermé sa classe, fait ses adieux à ses derniers élèves et remercié encore une fois ses collègues pour la soirée qu'ils ont organisée en son honneur quelques jours plus tôt. Elle patiente maintenant dans le cadre de porte de sa maison et regarde une jeune fille venir à elle, portée par un vieil Indien et son ancien amant. Elle les invite à entrer et souhaite la bienvenue à Océane. Elle va s'occuper d'elle. Il faut qu'elle se repose.

William remet les herbes à Caroline et lui explique comment préparer la décoction. Elle peut aussi lui donner de l'aspirine mais, le mieux, si elle en a, serait de lui faire bouillir de l'herbe à dinde. Leclerc se souvient que son grand-père ne jurait que par trois choses pour soigner tous les maux : la gomme d'épinette, la térébenthine et l'herbe à dinde.

Océane est craintive, sonnée, encore fiévreuse. La maison ressemble à celle de ses parents mais en plus propre, c'est plus petit mais il y a davantage d'espace. Au fond du salon, là où les gens mettent le téléviseur, il n'y a pas d'écran mais une bibliothèque avec des livres. Caroline lui prend la main et l'entraîne dans le couloir. La salle de bains est au fond, il y a une chambre à gauche et une chambre à droite. Caroline fait entrer Océane dans celle de droite. À côté du lit, il y a un bureau avec une machine à écrire. Un parapluie pend à une chaise. Elle lui demande si ça lui va. La jeune fille hoche la tête. Caroline propose de lui faire couler un bain. La jeune fille hoche la tête de nouveau. Pendant ce temps, Yves et William fument une cigarette dehors et pensent déjà à ce soir, et aussi au lac, au corps qui flotte.

Caroline vient leur dire que ça va aller. Qu'ils reviennent demain matin pour prendre des nouvelles, elle s'occupe de tout. Les deux hommes la quittent en la remerciant, Yves hésite une seconde avant de suivre William, voudrait se retourner, ajouter quelque chose mais se ravise et continue.

Océane est assise au bord du lit, elle n'a pas bougé. Elle a l'âge des élèves auxquels Caroline a enseigné toute l'année.

—Je suis française. Je suis arrivée ici au mois d'août pour travailler à la polyvalente. C'était mon dernier jour aujourd'hui.

Océane a remarqué l'accent bizarre. Elle ne sait pas trop pourquoi mais ça la rassure de savoir que la femme en face d'elle n'est pas d'ici, qu'elle vient d'ailleurs. On entend la baignoire se remplir. Caroline lui demande si elle veut boire ou manger. Elle lui apporte une robe de chambre. Elle dit à Océane de prendre son temps. Elle vérifie l'eau du bain, laisse la porte entrouverte et va à la cuisine pour préparer l'infusion prescrite par William.

Une demi-heure plus tard, elle passe la tête dans l'entrebâillement en disant à Océane que si elle reste là plus longtemps elle va se transformer en poisson.

Caroline voit le corps de l'adolescente et toutes deux baissent les yeux sur les hématomes aux hanches et aux cuisses. Caroline s'approche de la baignoire. Elle se met à genoux et pose une serviette sur les épaules d'Océane. Elle la couvre et l'aide à se lever doucement. Elle lui passe ensuite le peignoir. Elle la guide vers le lit et va lui chercher la tisane. Océane grelotte malgré la chaleur de juin. Caroline lui tend la tasse.

— Bois, ça te fera du bien. Veux-tu que je reste là ?

— Yes.

Caroline a oublié que sur la réserve on parle d'abord anglais, mais Océane se reprend :

— Oui, je veux bien.

Océane boit la tisane. Caroline n'arrive pas à parler, elle n'a aucun mot. Que peut-elle dire ? Que peut-elle faire, sinon rester là et ne pas la laisser seule ? Elle ne la connaît pas. Elle lui demande son âge, elle lui demande si elle a des frères et des sœurs, elle lui demande si ça va. Océane lâche sa tasse, se précipite vers la salle de bains et vomit dans les toilettes. Caroline s'approche doucement d'elle, lui passe la main dans le dos, Océane relève la tête.

— Ça va. Ça m'a fait du bien de vomir.

Caroline l'aide à se recoucher. Océane ne tremble plus. Elle parle en regardant le plafond de la chambre.

— J'ai peur. J'ai peur de retourner là-bas. C'est pas normal de vivre dans une réserve.

Elle veut partir, oublier. Elle dit d'autres mots au milieu des larmes. Elle renifle et ferme les yeux. Elle parle de son père qui est rentré sans sa jambe. Elle raconte qu'elle a fumé trop d'herbe ce soir-là, qu'elle n'a pas l'habitude, qu'elle voulait les tuer, tuer tous les policiers qui avaient battu son père.

—Maintenant, je veux les tuer encore plus.

Comme un grand plongeon

Ils sont arrivés au bord du lac à la brunante, Yves conduisant son jeep, William le camion du mort. Ils le déballent. Son visage a pris une teinte verdâtre. Ça pue. À cet endroit du lac, que connaît bien William, un rocher crée une sorte de promontoire au-dessus de l'eau noire. Plus loin sur la gauche, il y a des roseaux et une hutte de castors.

Yves va chercher une des deux cannes à pêche qu'il a aperçues derrière les sièges du pick-up. La mise en scène doit être parfaite. Il y a aussi une boîte d'appâts. Il monte sur la ligne un plomb moyen et une cuillère noire à pois jaunes, une Black Fury numéro trois. Une fois le corps sur le promontoire, il suffit de le laisser rouler dans l'eau. Le chant profond d'un huard glisse sur le lac, son ululement précède quelques trémolos. William pousse le corps, qui éclabousse de silence toute la forêt pendant quelques secondes. Yves fait un lancer avec la canne à pêche puis la laisse tomber dans le lac à côté du corps en contrebas. Quelques bulles crèvent la surface. Pendant que William efface leurs traces, Yves met la couverture et la corde dans un sac poubelle. La nuit est presque tombée. Les deux hommes enlèvent leurs gants et rentrent à la cabane. Comme la veille, ils passent un long moment devant un feu dans lequel Yves jette le sac poubelle. L'odeur et la fumée du plastique brûlé leur piquent le nez et les yeux. Là-bas, au fond du lac, les sangsues se régalent.

AVE MARIS STELLA

Ave maris stella,
Dei mater alma
Atque semper Virgo
Felix cæli porta

Salut, étoile de la mer
Mère nourricière de Dieu
Et toujours vierge,
Bienheureuse porte du ciel

Pas sûr que les Mi'gmaq comprenaient vraiment les paroles en latin. Mais la mélodie devait, selon les missionnaires chargés de l'évangélisation, pallier ce manque. C'était la beauté de la musique, le pouvoir de l'hymne religieux. Les mots sont inutiles quand une âme pure reçoit le message de Dieu. Alors on louait la Sainte Vierge et sa mère, la bonne sainte Anne, patronne du Québec, qui donna son nom à la première mission installée à Restigouche en 1745. Cinq ans plus tôt, l'armée du royaume de France avait érigé des fortifications à cet endroit, là où la rivière devient baie. Au début des affrontements avec les Anglais, l'aumônier du fort, le père Ambroise, un récollet, ouvrit la porte aux Mi'gmaq des environs qui s'étaient alliés aux Français. Quand se déclara la guerre de Sept Ans, de nombreux Acadiens y trouvèrent également refuge.

C'est ici même qu'eut lieu la bataille de la Ristigouche en 1760, l'ultime affrontement naval de la fin de la Nouvelle-France. Le 8 juillet, acculé par les vaisseaux de la Royal Navy de John Byron au fond de la baie des Chaleurs, le commandant François Chenard de la Giraudais décide de saborder ses navires, le *Bienfaisant* et le *Machault*, pour éviter la capture. Les renforts français partis de Bordeaux le 10 avril sont anéantis.

Malgré la reprise de Québec par le chevalier de Lévis deux mois plus tôt, la ville capitule le 9 mai. Montréal est le dernier bastion de la Nouvelle-France. Murray remonte le Saint-Laurent depuis l'est, Amherst attaque à partir du lac Ontario à l'ouest et Haviland prend la direction du nord à la sortie du lac Champlain. Les forces anglaises encerclent l'île, Montréal n'a d'autre choix que d'abdiquer. Le 8 septembre 1760, c'est la fin de la Nouvelle-France.

Il faudra presque deux mois pour que l'annonce de la défaite remonte jusqu'au fort de Restigouche et que les derniers Français se rendent aux vainqueurs. Le fort deviendra un village. Loyalistes désertant les États qui viennent de s'unir, Irlandais fuyant la famine et Écossais gérant la traite des fourrures s'établiront dans les environs pendant plusieurs décennies. La création d'une réserve indienne de neuf mille acres date de 1853. La première école pour les Mi'gmaq ouvre en 1854 sous l'égide du curé Dumontier. En 1903, les sœurs de la Congrégation de Notre-Dame-du-Saint-Rosaire prennent soin des «petits sauvages» de la

réserve, pour leur bien et celui de toute la communauté.
Tous les dimanches, dans l'église de Sainte-Anne-de-
Restigouche, on chante :

> *Sumens illud ave*
> *Gabrielis ore*
> *Funda nos in pace*
> *Mutans Evæ nomen*

> En recevant cet Ave
> De la bouche de Gabriel
> Et en changeant le nom d'Ève
> Établis-nous dans la paix

Pièges

Les Mi'gmaq utilisaient des pièges d'une évidente simplicité et d'une efficacité redoutable. Pour le lièvre, le collet reste la technique la plus simple. Pour du plus gros gibier, comme le carcajou, le lynx, l'ours ou le couguar, le piège de type assommoir est radical et s'adapte facilement à la proie visée.

Pour un ours, on coupe des troncs d'arbres d'environ un mètre cinquante de long et vingt centimètres de diamètre. On en fait des piquets qu'on plante pour former un carré. Sur le dessus, on pose des troncs en travers pour faire un toit. On referme ensuite trois murs sur quatre, de façon à obtenir un cube dont l'un des côtés reste ouvert. C'est par là que l'ours doit essayer d'entrer : avancer sa tête dans cette boîte en troncs d'arbres pour venir y manger les baies ou les morceaux de saumon qu'on y a déposés. Mais d'autres arbres ont aussi été coupés, des arbres bien plus gros que les premiers. Ici, il faut abattre des sapins, des épinettes ou des bouleaux d'au moins quarante ou cinquante centimètres de diamètre. On en couche un devant l'entrée de la boîte. Puis il faut en faire tenir un second en équilibre, en diagonale devant l'entrée. Une extrémité de ce grand tronc de deux cents ou trois cents kilos est posée au sol alors que l'autre bout est soutenu dans les airs par un pieu plus léger qui repose lui-même sur une pièce de bois plate qui fait office de levier. Le tronc ainsi suspendu au-dessus de l'entrée de la boîte servira de massue. Quand l'ours arrive, quand l'ours approche, quand l'ours hume l'odeur âcre de la peau de saumon séché, il ne peut s'empêcher d'avancer, il ne peut se retenir de passer la tête dans l'ouverture de la boîte en bois, de passer une de ses lourdes pattes par-dessus le tronc au sol et d'ainsi frôler et déclencher le mécanisme fragile qui fait tomber l'arbre-massue. En une fraction de seconde, trois cents kilos s'abattent sur lui. Avant même qu'il ait fini de poser sa patte par terre, le tronc lui brise la nuque. Sous sa fourrure épaisse, les os du crâne ont été détachés des os de la colonne vertébrale, interrompant d'un coup la vie qui circulait du cœur au cerveau. Il rend son dernier souffle. Sa graisse servira à fabriquer une pommade dont on s'enduit le corps pour se protéger des moustiques. Sa chair sera mangée. Sa peau deviendra le sol d'un wigwam ou une couverture pour l'hiver. Ses griffes formeront un collier offert à la promise.

ANGUILLE SOUS ROCHE

Père Maillard, mon père, avant votre arrivée dans ces lieux où Dieu décida de nous faire naître et où nous avons grandi comme l'herbe et les arbres que vous voyez autour de vous, notre principale occupation était de chasser toutes sortes d'animaux pour nous nourrir de leur viande et nous vêtir de leur peau. Nous chassions des petits et des grands oiseaux et choisissions les plus belles plumes pour décorer nos coiffures. Nous chassions seulement assez de bêtes et d'oiseaux pour les besoins d'une journée et le lendemain nous repartions à la chasse. Mais ne pensez pas que cela était aussi difficile qu'aujourd'hui. Tout ce qu'il nous suffisait de faire dans ces temps-là était de quitter nos wigwams, parfois avec des flèches et des lances, parfois sans, et pas très loin du village nous trouvions tout ce qu'il nous fallait. Si nous n'avions pas envie de manger de la viande, nous allions pêcher dans les lacs et les rivières les plus près du village ou en bord de mer et nous attrapions toutes sortes de poissons pour nous nourrir. L'anguille était notre mets préféré, ce qui est encore le cas aujourd'hui.

Le Droit Fil

Parce qu'ils n'avaient pas d'argent et qu'elle voulait que sa fille soit bien habillée pour aller à l'école, elle est devenue une remarquable couturière. Quand la mère de Yves Leclerc allait à l'école, elle était peut-être la plus pauvre, mais elle était la mieux habillée.

Sa grand-mère a gardé sa machine à coudre toute sa vie. Sur une petite table en bois montée sur des pattes en fonte très lourdes ornées de demi-lunes entrelacées, elle ressemblait à un chat noir faisant le dos rond. Le métal patiné était doux et lisse, et le volant, à droite, ressemblait à une roue de gouvernail en cuivre. Sa grand-mère voguait sur une mer de tissu. Au milieu était gravé dans le fer le nom de la marque : Singer.

Il avait sept ans et il aimait regarder coudre sa grand-mère pendant des heures. Elle ne voulait pas le laisser utiliser la machine, mais lui expliquait les choses : l'aiguille, la navette, l'alignement, la hauteur, la manière d'engager et de dégager le mécanisme, de tourner la roulette et de garder le rythme sur le pédalier.

Un jour, elle lui a expliqué le droit fil. Quand on taille une pièce de tissu, il y a tous ces petits bouts perpendiculaires qui dépassent après la coupe. On a beau essayer de couper le plus droit possible dans la trame, il y a des brins qui s'échappent, qui ont été sectionnés dans leur longueur. Pour trouver le droit fil, il faut enlever tous les fils de l'extrémité de la pièce de tissu jusqu'à ce qu'on arrive à enlever un fil qui en fasse toute la longueur. C'est le droit fil. Il donne la limite, la frontière du tissu à partir de laquelle on peut commencer à travailler. Il sert d'équerre, en quelque sorte. Dans son âme d'enfant, il y avait là quelque chose de magique. Plus tard, devant une situation complexe, Yves essayait toujours de trouver le droit fil. Quand sa première blonde à la polyvalente l'avait lâché pour un gars de l'équipe de hockey, il avait cherché le droit fil. Au cégep, quand son coloc s'était retrouvé aux urgences après avoir avalé une boîte de pilules, il avait cherché le droit fil. Quand son père s'était mis à boire, il avait cherché le droit fil. Le jour où son ex lui avait demandé de choisir entre une job de bureau à Québec et une job dans le bois en Gaspésie, il avait trouvé le droit fil. Maintenant qu'il avait démissionné, qu'une jeune Mi'gmaq se trouvait sous sa protection, que deux hommes étaient morts et qu'une partie du Québec voulait qu'on en finisse une fois pour toutes avec les Indiens, Leclerc cherchait comme jamais le droit fil.

Vers trois heures du matin, Caroline est réveillée par les cauchemars d'Océane. Elle se précipite dans la chambre voisine et prend la jeune fille dans ses bras. Océane tremble et prononce des mots qui finissent en *aq,* en *uj,* en *pug,* en *wan.* Caroline s'étend à côté d'elle sur le lit en lui disant que ce n'était qu'un mauvais rêve, qu'elle est ici chez elle. Après avoir répété «mommy and daddy», l'adolescente se calme et prend Caroline dans ses bras à son tour. Dans la chambre noire, les rideaux ondulent devant la moustiquaire de la fenêtre ouverte. L'adulte chuchote à l'enfant qu'elle retrouvera ses parents quand elle voudra, que son retour sur la réserve n'a pas à être définitif, il n'est pas une fatalité. Elle lui dit qu'elle sera toujours la bienvenue chez elle en France, qu'elle est son amie, qu'elle a la vie devant elle.

GET OUT!

Quand le saumon remonte la rivière, il ne se nourrit pas. Il a fait le plein en mer, il a fait ses réserves, et toute son énergie est tendue vers un seul but : atteindre la fosse dans laquelle il va se reproduire. Contrairement à une truite qui vient manger une mouche ou un ver au bout d'un hameçon parce qu'elle a faim, le saumon ne gobe pas la mouche pour s'alimenter. En fait, on ne sait pas vraiment pourquoi le saumon vient mordre un paquet de plumes qui imite un insecte. Pour William, dont les ancêtres prenaient le saumon au harpon ou dans des barrages coupant la rivière, le saumon est avant tout un animal qui protège son territoire. Comme d'autres pêcheurs, William pense que, si le saumon finit par attaquer une mouche, c'est simplement parce qu'elle l'énerve, parce qu'il veut qu'elle lui fiche la paix. L'art de la pêche à la mouche revient à harceler la bête en train de se reposer tranquillement dans une fosse pendant son long voyage de retour. Tout le jeu de la patience est là : taquiner, agacer, tourmenter, jusqu'à ce que l'adversaire craque et se jette sur l'intrus. Quand un saumon gobe une mouche, c'est sa manière de dire : fous-moi la paix ! Crisse-moé patience ! *Get out !*

23 JUIN 1981

William et Yves reviennent chez Caroline le lendemain matin. La porte de la maison est ouverte. Quelque chose ne tourne pas rond. Ils descendent du jeep. Ils montent les marches vers l'entrée. À l'intérieur, c'est un véritable champ de bataille. Au milieu, Pierre Pesant a l'air d'un lièvre pris dans les phares d'un truck sur l'autoroute. Leclerc se rue sur lui et le fait tomber à la renverse en essayant de l'empoigner par le collet. Le pauvre gars de la Commission des droits de la personne se retrouve les quatre fers en l'air au milieu des chaises de cuisine renversées.

— Elles sont où, tabarnac? gueule Leclerc.

Pesant balbutie qu'il n'en sait rien. Il est revenu chercher un dossier qu'il croyait avoir oublié ici. Il est là depuis une dizaine de minutes. Il a trouvé la maison ouverte et vide, dans cet état. Il n'a rien à voir là-dedans.

Pendant qu'il dit ça, William retient Leclerc, le repousse vers le comptoir de la cuisine. Il aide ensuite Pesant abasourdi à se relever. William le tranquillise:

— OK, c'est pas grave. Qu'est-ce que tu fais ici?

Pesant raconte qu'hier Caroline lui a expliqué attendre une amie. Elle n'a pas vraiment donné de détails. Elle lui a demandé de trouver un autre hébergement, ce qu'il a fait. Il s'est installé au Motel Restigouche en fin de journée. Ce matin, ne retrouvant pas un dossier, il est revenu chez elle le chercher. Il s'est dit qu'une grande marche lui ferait du bien. Une heure plus tard il a découvert la maison dans cet état : meubles retournés, téléphone arraché, tiroirs vidés, porte béante.

Pendant que Leclerc fouille les chambres, William va inspecter la cour. Il a demandé à Pesant de rester sur la véranda. De là, l'universitaire observe l'Indien penché vers le sol entre le jeep rouge et la Renault 5, qui scrute la terre sèche, compacte, durcie par le soleil. Leclerc sort à son tour en évitant Pesant.

—Alors ?

—On dirait qu'un gros char est parti à droite vers le haut de la rivière. Le chemin ne débouche pas par là-bas. Ça finit en cul-de-sac. On va aller voir.

Les trois hommes montent dans le Cherokee Chief, Yves au volant, Pesant à la place du mort et William derrière. Ils roulent à faible allure en remontant le long de la Ristigouche. Sur leur gauche, en contrebas, la rivière est large et calme. Il n'y a pas de rapides ici mais des îlots de sable et de gravier. La route court au milieu de la végétation qui, lorsqu'elle se fait plus dense, cache les berges à la vue des trois hommes. Sur la droite, une boîte aux lettres posée sur des bois de cerf annonce l'entrée d'une maison qu'on discerne un peu plus haut en retrait de la route. Il y a peu d'habitations dans les environs. Pesant demande ce qu'on fait exactement. William répond qu'on cherche un véhicule, qu'on essaie de retrouver une jeune femme et une adolescente enlevées. Il y a quelques sentiers qui vont vers l'eau, déserts. À mesure que le niveau de la route se rapproche de celui de la rivière, les arbres font place à des champs. Plus loin, la route épouse la courbure de la Ristigouche. Il y a une ferme : maison en bois, grange blanchie à la chaux, silo gris. Du côté Nouveau-Brunswick, la forêt vallonnée est verte de résineux. La route n'est plus pavée. Le jeep dépasse la ferme, un chien noir et blanc se lance à sa poursuite en aboyant sur quelques dizaines de mètres puis disparaît dans la poussière. Yves et William scrutent l'horizon. Pesant demande s'ils voient quelque chose. Il obtient en réponse un silence lourd. Pesant insiste, demande de quoi il en retourne, se trémousse sur le siège du passager, interroge Yves du regard qui l'ignore puis se tourne vers William qui daigne lui faire savoir qu'ils ont confié une jeune Indienne à Caroline. Pesant veut en savoir plus.

— Une jeune Indienne ? Une Mi'gmaq ? C'est rapport à la descente ? C'est quoi, cette histoire-là ? Vous pensez que Caroline...

Yves se tourne d'un coup vers lui.

— Travailles-tu pour la police ?

William pose sa main sur l'épaule de Yves et explique que Caroline devait garder la jeune fille chez elle quelques jours. Yves l'a trouvée dans les bois le lendemain de la dernière descente. Pesant répond qu'il était sur la réserve ce jour-là et qu'il a entendu parler d'une mère qui cherchait sa fille. Mais c'est tellement le bordel là-bas depuis dix jours, c'est difficile de savoir où sont les gens.

— Vous pensez quoi ? Où voulez-vous qu'elles soient ? Qui leur en voudrait ? On ferait pas mieux, justement, d'avertir la police ?

Les mains de Leclerc se crispent sur le volant. William lui répond qu'elle s'est fait violer par des policiers. Pesant ne dit rien pendant presque une minute. Il a l'air de tomber des nues, il ouvre de grands yeux. Puis il reprend en se tournant vers William.

— Ah ben calvaire! Quand est-ce que ça va s'arrêter? Ça fait dix ans que je travaille avec les Indiens. C'est toujours pareil. De la violence, des disparitions, des règlements de compte. L'année passée, pas loin de Mingan, j'étais là quand on a retrouvé deux Indiens dans leur canot. La police a dit qu'ils s'étaient noyés. Ils étaient dans le canot, ostie, comment voulez-vous croire ça? Quand est-ce que ça va changer?

William annonce qu'ils sont bientôt arrivés au bout de la route. Trois maisons blanches s'alignent à une centaine de mètres les unes des autres, entourées de pelouses bien entretenues. Une remorque vide traîne dans la cour de la première, un vieux pneu transformé en bac de fleurs jaunes occupe le centre du parterre de la deuxième, et une femme bêche le jardin à gauche de la troisième maison. Yves s'arrête, descend du jeep et la hèle par-dessus le capot. Elle n'a vu aucune voiture par ici depuis ce matin. De toute façon, il n'y a jamais de voiture par ici. Yves remonte et Pesant se risque à un nouveau commentaire:

— Êtes-vous vraiment sûrs qu'ils ont tourné de ce côté? Ils ont peut-être fait demi-tour, aussi?

— Si on le savait, on ne serait pas en train de chercher.

Yves enchaîne en demandant à Pesant c'était quoi, le dossier oublié chez Caroline, et ce qu'il fait sur la réserve exactement. Le quinquagénaire explique qu'il est là pour comprendre et rédiger des rapports. Il a oublié chez Caroline une partie de sa synthèse sur la première descente. Yves ne peut pas se retenir :

— Ben du bla-bla-bla pour pas grand-chose.

— C'est sûr que c'est fatigant de toujours avoir à répéter que les Indiens veulent juste vivre normalement comme leurs ancêtres. Ostie, quand on a vendu la moitié de la province à des Américains pour le bois, l'électricité, les mines et les réserves de pêche, ça dérangeait personne. Si c'est des Indiens qui réclament, là c'est un problème, là c'est des profiteurs pis juste une gang de soûlons. Il faudrait punir toute la communauté sous prétexte que certains pêchent sans permis ? Quand on pogne des braconniers québécois pure laine, y a personne qui dit qu'il faut punir toute la province de Québec à cause d'eux autres !

Comme un lièvre

Oui, les Mi'gmaq piégeaient l'orignal. Comment faisaient-ils pour capturer une bête de six cents kilos qui court plus vite qu'un lièvre et qui porte un panache de deux mètres d'envergure? Ils prenaient ce qu'ils avaient sous la main, et ce qu'ils avaient sous la main, c'était du bois et des lanières de cuir. La méthode pour capturer un orignal consiste à fabriquer un grand lasso en cuir. Mais aucun lasso n'est assez fort pour contenir la force du désespoir d'un tel animal quand il se sent pris au piège. Il faut donc ruser et, pour ruser, il faut un lasso assez solide pour tirer un gros tronc d'arbre. L'orignal, comme tant d'autres animaux, se crée un réseau de sentiers dans la forêt. Il finit par passer presque toujours aux mêmes endroits. C'est là que les chasseurs tendent le lasso, comme un collet, suspendu aux branches au-dessus de la piste du mammifère, à la hauteur de sa tête, pour que comme un lièvre l'orignal se prenne dedans. Mais le lasso n'est pas fixe, il est attaché à un tronc d'arbre libre qui peut glisser au sol.

L'orignal avance dans le sentier. Ses bois pénètrent à l'intérieur du cercle en lanières de cuir ou en racines d'épinette. Le lasso doucement se resserre. Quand le cou est complètement enlacé, l'orignal commence à sentir une tension. Il sent quelque chose de lourd, ne comprend pas mais ne panique pas encore. La bête éprouve une sensation étrange mais reste calme. D'ailleurs, il n'y a pas d'odeur ennemie alentour, pas de bruit autre que celui de ses propres pas. Puis cette sensation inconnue, cette pression autour du cou, et le corps qui n'avance plus comme d'habitude, tout ça lui échauffe le sang. La peur fait son effet, la peur primaire fait toujours cet effet. Petit à petit, l'animal veut fuir, l'animal presse le pas, essaie de courir mais c'est trop lourd. Il tire tout de même de toutes ses forces pour progresser à nouveau sur son sentier quotidien, sa *trail*. Il avance et à force de tirer il se fatigue, il se fatigue rapidement bien qu'il n'en soit pas conscient. Ses naseaux écument, son poil se met à luire à cause des poussées de sueur, ses flancs se soulèvent et se rabattent toujours plus vite. Il voudrait galoper mais ne peut que trotter. Le bois d'un sapin cinquantenaire attaché derrière lui, il tire le poids du monde. Cela dure depuis une heure. À son camp de chasse, Taqawan a entendu le brame de détresse. Lentement il se lève. Il prend la lance posée à côté de lui et se met en route vers le sentier. Il progresse vers l'animal à pas lents. Il sent que sa proie s'affaiblit. L'orignal vient de mettre un genou à terre. Un de ses sabots a glissé sur une branche pourrie. Il souffle énormément. Entre la panique, le poids et la distance parcourue, ses muscles commencent à céder par soubresauts. C'est un jeune *buck* dans toute sa puissance mais le tronc est lourd et l'incompréhension totale. La réalité des habitudes ne correspond plus à ses réflexes. Ou plutôt, sa réalité a été modifiée sans que ses réflexes puissent s'adapter. Son instinct est le même et la situation légèrement différente. C'est ce qui est en train de le perdre. L'orignal n'a pas cette lecture à froid des causes et des effets, contrairement au chasseur qui s'avance vers lui brandissant sa lance à bout de bras au-dessus de sa tête. La bête gratte le sol une dernière fois. La lance pénètre son flanc, un râle s'élève. Plus rien ne bouge. C'est le silence. Taqawan salue l'esprit de l'animal mort.

RÊVE D'ENFANT

Il a eu le rêve de briser leurs chaînes, de libérer les Indiens des anneaux qu'on leur avait pendus au cou à force de Dieu, de perles de verre, de haches et de fusils. Des lois ont été votées pour qu'ils soient déclarés irresponsables, pupilles de la nation, des enfants.

Puis on leur a accroché les réserves au cou, les quotas de pêche et le mode de vie sédentaire. On a voulu les transformer en agriculteurs mais ça n'a pas marché. Ils n'ont rien voulu savoir. Il faut plus que deux siècles de sédentarité pour effacer dix mille ans de nomadisme. L'homme blanc a voulu imposer à l'Indien en un siècle ce qu'il a mis des millénaires à développer et à intérioriser : agriculture, écriture, villes, dieu unique, gastronomie, astronomie, logique, statistiques, mécanique, physique, transcendance, trinité, roue, machine à vapeur, aimant, périscope, verre, chimie, chirurgie, sextant, transistor, famille nucléaire et tondeuse à gazon. Comment faire comprendre à un Indien la nécessité de tondre l'herbe autour de sa propriété pour que ce soit beau et propre ? Comment imposer cette idée à un cerveau sain si on n'a rien à vendre ? Et pourquoi acheter quand la nature vous fournit tout ce dont vous avez besoin ? On leur a donc accroché au cou l'offre et la demande, le profit, le marché. À Restigouche, le seul bien monnayable étant le saumon, on les a obligés à vendre le saumon tout en réglementant son commerce. Un marché contrôlé par le pouvoir. Une variable d'ajustement. Le saumon, celui qu'il suffisait d'attraper pour vivre, ils devaient désormais le vendre pour survivre.

Dès le premier soir où Pesant était venu s'installer chez Caroline, il avait beaucoup parlé de son parcours, d'où il venait. Il était toujours très bavard devant un auditoire intéressé, et Caroline était avide d'en savoir plus sur le passé de ce monde qui semblait préférer oublier son histoire plutôt que la comprendre. Ils avaient bu une tisane sur la véranda en profitant des jours les plus longs de l'été. Quelques gouttes de sueur perlaient sur le haut du crâne de Pesant. Caroline goûtait l'exotisme de ces soirées québécoises au milieu de la nature encore sauvage où ça sentait bon les sous-bois et l'herbe des champs. Le calme indolent de leur conversation tranchait avec la violence de la réalité décrite par Pesant.

— Sans mes études en anthropologie, j'aurais probablement jamais rien su de ce qui se passe sur les réserves. Je serais resté comme la plupart des Québécois, qui en entendent juste parler en lisant les chroniques de chasse et pêche dans le journal. Ça, pour parler de la pêche sportive et des méchants Indiens qui nous volent le droit de jouer dans le bois, on trouve toujours un journaliste payé par les pourvoiries ou les ZEC, qui va t'expliquer que les Indiens ont juste à prendre leurs permis de pêche comme tout le monde.

— N'est-ce pas un peu vrai, Pierre ?

Il avait beaucoup aimé l'entendre prononcer son prénom avec l'accent français.

— Je pense pas que les permis soient la solution. On a vu ce qui s'est passé avec les clubs privés. On avait vendu nos rivières à des banquiers pis à des politiciens américains. Y a fallu que les Indiens et certaines personnes de conviction se mettent à occuper les camps de pêche, menacent de tout faire péter, pour que les choses changent, pour que notre territoire redevienne public. On a au moins réalisé ça.

TAQAWAN

Na tujiw nemi'g gitpu gnegg musigisg'tug alaqsing
aq gesigawtoqsit. Teluet « Majulgwali ni'n ».

J'ai vu et entendu un aigle qui volait haut
dans le ciel bleu dire d'une voix forte « Suis-moi ».

À cette époque, il était encore possible pour ceux qui
le voulaient de pratiquer la révélation du nom par un
jeûne en forêt. Cette tradition se perdait mais William
avait eu la chance de partir au milieu des bois à l'âge de
l'adolescence, sans nourriture. Il se rappelait surtout la
première journée, celle où l'estomac commence à faire
des bruits, comme une sorte de cri d'incompréhension.
Venaient ensuite les crampes. Le sommeil de la
première nuit sur des branches d'épinette faisait du
bien au corps et à la tête. Déjà au deuxième jour, le goût
de l'eau avait changé. On sentait le trajet du liquide
jusqu'au fond de son ventre. On avait l'impression
de le voir descendre, de suivre son parcours. L'enfant
de quatorze ans restait immobile ou tuait quelques
maringouins venus vers lui malgré l'odeur de la graisse
de phoque avec laquelle il s'était enduit le corps. On
lui avait dit que la vision pouvait venir de jour comme
de nuit. Il fallait simplement l'attendre. Dans l'après-
midi, une salamandre au ventre orange s'approcha

sous les feuilles. William espérait que cette bête n'allait pas être sa révélation, celle qui lui donnerait son nom. Il la fit déguerpir avec des cailloux. Au cours de sa deuxième nuit, son sommeil avait été agité. Il avait fait de mauvais rêves mais ne se souvenait de rien au réveil. Le troisième jour, la faim avait redoublé. Il avait trouvé un rocher au bord de la rivière et y avait passé la majeure partie de son temps. Il surplombait le courant où passaient parfois des ombres vives, poissons remontant la rivière au début de l'été.

C'est au cours de la troisième nuit qu'il eut son hallucination. Il était dans l'eau mais ne nageait pas, c'était un mélange de liquide et de feu qui le portait. Il était plus grand que nature et ses yeux lui laissaient voir la profondeur du noir dans lequel il flottait. Il pouvait regarder très loin mais comme il n'y avait rien, il ne voyait rien. Il insista. À force de scruter le néant, il avait fini par se discerner lui-même, poisson agile battant des nageoires dans une nuit d'encre, comme si son regard avait fait le tour de la Terre pour le rejoindre. Il était un jeune saumon perdu dans une nuit sans étoiles. C'était le néant mais il sentait pourtant quelque chose. Quelque chose qu'il goûtait. Le sel. Il sentait le sel sur sa langue, dans sa gueule. Cela lui donnait soif. Il fallait trouver une issue pour avoir de l'eau. Alors il se tortillait dans tous les sens pour avancer, ondulait pour accélérer. Plus ses efforts étaient grands, plus il faisait du surplace. Une lumière apparut au-dessus de lui, un point lumineux qui lui donnait enfin une direction, quelque chose à poursuivre. Ce qu'il fit. La lumière semblait le tirer sans qu'il fasse rien. Il se dirigeait vers elle de plus en plus vite. À mesure qu'il accélérait, de l'eau l'encerclait, le goût du sel disparaissait, il remontait le courant, tiré par la lumière qui s'amplifiait. Au milieu du rêve, il jaillissait tout à coup hors d'une rivière qu'il n'avait jamais vue. C'était un cours d'eau au milieu d'un désert. Il n'y avait rien devant lui sauf une immense chute qui tombait du ciel et lui barrait la route. Cette cascade venue de nulle part était infranchissable, mais elle coulait depuis la source de lumière qui l'avait tiré du néant. Alors, d'un bond, d'un seul, il se jeta dans le mur d'eau et se mit à monter à la verticale à toute vitesse. C'était une sensation de toute-puissance. Puis arrivé dans la lumière elle-même, tout se déroba d'un coup. Il était à nouveau dans le vide mais au-dessus d'une forêt, au-dessus d'une vallée qui lui rappelait son pays. Suspendu ainsi, prêt à chuter, il sentait le songe prendre une tournure de cauchemar. Il était paralysé. Un prêtre en soutane arrivait au loin, volant comme un aigle, ses habits lui faisaient des ailes noires. Il fonçait droit sur William, saumon dans le ciel. Il avait des bras d'homme mais ses pieds étaient des serres avec lesquelles il se saisit du poisson en riant. Il plana jusqu'au sol, où William découvrit son père prisonnier d'un tonneau de sel rempli à ras bord, d'où seule sa tête dépassait. Juste à côté, sa mère était enroulée dans un filet, jetée à terre, incapable de bouger. Alors le prêtre-aigle parla en langue mi'gmaq et dit :

—Tu es revenu. Tu es un saumon revenu de la mer, tu es un taqawan.

À l'instant où l'oiseau laissa tomber sa proie, William

se réveilla en sursaut, le corps en sueur, un goût de sel dans la bouche et une soif d'enfer. Il se leva et partit remplir ses mains à la rivière pour boire et s'asperger. Il avait désormais un nom : Taqawan, celui qui pour la première fois revient de la mer pour remonter la chute.

CHIMPANZÉS

Cela se passe dans des laboratoires. Des scientifiques étudient les gènes des populations humaines. C'est très compliqué. Il faut faire des prélèvements. Il faut faire des analyses. On fait du séquençage. Ça dure des années. On verse des liquides de couleur dans des éprouvettes transparentes. On les place dans des supports troués pour éviter qu'elles tombent. On utilise des microscopes électroniques et des ordinateurs ultraperformants. On lit le code caché au fond de chaque être vivant. Grâce à l'ADN, on peut savoir qui est le père de qui, qui est la fille de qui, qui sont les frères et les sœurs de qui, on peut lire tous les liens. On arrive à déterminer que les Inuits et les Indiens d'Amérique du Nord et du Sud sont les descendants des populations d'Asie centrale car ils ont en commun le marqueur A. C'est grâce à ce gène qu'on sait avec certitude que les Amérindiens étaient d'abord des nomades qui traversèrent le détroit de Béring vers la fin de la glaciation du Wisconsinien. La génétique a apporté la preuve de la filiation entre les Amérindiens et les peuples d'Asie.

Franchement, si on met côte à côte un Mongol d'Oulan-Bator et un Inuit de Kuujjuak, pas besoin de prélèvement ou de microscope pour comprendre qu'ils ont les mêmes ancêtres, qu'ils sont frères de sang. Mais la génétique nous dit aussi que le genre humain ne forme qu'un seul peuple, même s'il y a des évidences plus flagrantes que d'autres. Nous sommes un grand mélange d'acide désoxyribonucléique, où seules les proportions fluctuent. Il ne faut jamais perdre de vue qu'à un pour cent près, nous sommes tous des chimpanzés.

Ils roulent jusqu'au bout du chemin. La route s'élargit pour s'arrêter net devant une clôture en fil de fer barbelé à l'orée d'un champ vide. Yves fait demi-tour en disant qu'ils doivent continuer de bien regarder, ils verront peut-être quelque chose dans le sens inverse, en chemin vers la maison de Caroline. Quand ils repassent devant la ferme, le chien noir et blanc se lance à nouveau derrière le jeep. Pesant le traite de chien fou simplement pour dire quelque chose. Il supporte de moins en moins le silence des deux autres dont les regards ne quittent ni le bord de la route ni les accès à la Ristigouche.

—On est pas mieux que l'Afrique du Sud ou l'Australie. Entre la réserve de Restigouche et Pointe-à-la-Croix, c'est comme s'il y avait un mur de Berlin. Vers le pont Van Horne, la route qui sépare la réserve et le village est comme une frontière. Il manque juste les barbelés et les miradors de chaque côté.

William sort de son mutisme pour dire que ce ne sont pas les Mi'gmaq qui ont voulu la séparation. Pesant est d'accord et ajoute que, pour lui qui a grandi dans la capitale, c'est difficile à imaginer. Puis Yves lève le bras, comme pour que Pesant se taise, et indique quelque chose en direction de la rivière un peu plus bas. Au milieu du courant, un guide et deux pêcheurs sont plantés dans leur canot en amont d'une fosse. Ils étaient cachés par les arbres lors du premier passage du jeep. Un des pêcheurs est debout à l'avant de l'embarcation en train de moucher. L'autre est assis au milieu, et le guide près du moteur. Leclerc s'arrête et descend au bord de l'eau à travers les buissons. Il crie vers l'embarcation pour demander s'ils ont vu passer quelqu'un dans le coin depuis environ une heure. Le pêcheur en train de moucher laisse aller sa ligne et se tourne vers l'arrière du canot. Le guide met ses mains en porte-voix :

— Y a un zodiac qui est remonté y a environ une demi-heure. C'est tout ce qu'on a vu à matin.

— Merci ! Ça mord ?

Leclerc n'attend pas la réponse et repart en courant prendre le volant. Le pêcheur debout crie « Goodbye ! » C'est sans doute encore un Américain revenu sur les traces de ses ancêtres à la recherche d'un trophée pour démontrer que comme son père et son grand-père il peut sortir un saumon de vingt livres. C'est comme une preuve qu'il pourra lui aussi diriger l'entreprise familiale le moment venu.

Quand Leclerc explique ce que les pêcheurs ont vu, William comprend que les ravisseurs se trouvent certainement déjà sur l'autre rive, au Nouveau-Brunswick. Il dit qu'ils vont devoir traverser. S'ils font le tour par le pont, ils vont perdre du temps. L'idéal serait de remonter la Ristigouche en bateau, mais ils n'ont pas d'embarcation sous la main. Ils reprennent quand même la route et, en approchant de chez Caroline, Yves pense au vieux propriétaire qui a loué la maison à la jeune femme. Il a un hors-bord en aluminium qu'il laisse attaché à un quai privé. Ce serait la solution la plus rapide et la plus simple. William sait comment démarrer un moteur sans clé. Pesant commence à trouver que les choses deviennent un peu trop risquées à son goût. Il voudrait savoir exactement ce qui va se passer. Il propose d'attendre chez Caroline ou de retourner à son motel. Ce à quoi le Mi'gmaq rétorque :

— Jaser pis placoter, c'est facile ! Tu me fais rire avec tes belles paroles pis tes bons sentiments. Pour venir nous étudier, ça va, mais pour vivre notre vie, j'ai jamais vu aucun Blanc. Parler, parler, parler, ça suffit pas.

Yves tourne dans le sentier qui mène au quai et se gare. Il a l'estomac noué. Il s'en veut, a du mal à réprimer les sentiments qui l'assaillent, la colère qui monte en lui. Il essaie de ne pas céder à la panique, à la peur dévorante de ne pas retrouver Caroline et Océane. Il lâche le volant, expire longuement par la bouche, en gardant les yeux fixés sur la rivière. William sort le premier, claque la portière. Pesant comprend qu'il n'a pas trop le choix de les accompagner et se tape la nuque pour écraser un maringouin. Pendant que l'Indien a les mains dans le moteur et que Leclerc arrache l'anneau qui retenait le bateau, Pesant fait les cent pas en se rongeant les ongles, puis on lui dit de monter.

— Êtes-vous sûrs de vouloir prendre un bateau ? C'était peut-être pas elles dans le zodiac.

Yves répond qu'on va le savoir assez vite. William tire sur la corde pour démarrer le moteur Mercury.

Pesant semble hésiter. Il peste entre ses dents contre les maudits colonisateurs.

— Oui, les méchants Français pis les maudits Anglais nous ont tout volé, tout pris, lui lance William. Là, on est icitte pour retrouver les filles. Embarque!

Pesant regarde ailleurs. Le hors-bord démarre.

Yves Leclerc, William Metallic et Pierre Pesant remontent la Ristigouche et approchent de l'endroit où Leclerc a interrogé les pêcheurs. Ils ont changé de fosse et on dirait que l'un d'eux a fait mouche. Sa canne est tendue en arc de cercle. Ça tire fort. Debout dans l'embarcation, les jambes écartées, l'Américain tient son bout. Il a engagé la lutte une dizaine de minutes plus tôt. En d'autres circonstances, Leclerc aurait ralenti le moteur. Il respecte le combat en cours mais il décide de traverser la zone sans ralentir l'allure. Au même moment, le saumon au bout de la ligne fait un grand bond hors de l'eau. C'est une belle bête qui en retombant réussit à casser le fil en nylon. Aux injures qu'il pousse, le pêcheur confirme qu'il est anglophone et fâché noir :

— *Fuck! Fucking shit! Fuck, fuck, fuck! Was a big one!*

Pendant que le guide maintient l'équilibre du bateau, l'autre pêcheur tente de calmer son coéquipier. Il lui parle du whisky qu'ils boiront plus tard, de la soirée qui les attend et de la bonne histoire qu'ils auront à raconter.

Le garde-chasse, l'Indien et l'anthropologue poursuivent leur route au milieu de la rivière à pleins gaz, avec dans les yeux l'éclat argenté qu'ils ont vu briller au-dessus de l'eau, comme une persistance rétinienne, un mirage resté sous leurs paupières. Chacun semble perdu dans ses pensées. Chacun a peut-être lâché prise momentanément, repoussant de son esprit ce vers quoi ils foncent. L'embarcation fend les flots dans le vrombissement du Mercury. Aucun des trois hommes ne parle. Leurs regards se projettent loin devant, sur la surface miroitante de la Ristigouche. Leclerc revoit le saumon bondir dans la lumière. Il y a deux jours encore il se préparait lui aussi à vivre un semblable moment de grâce, de pure adrénaline, en piquant au vif un tel adversaire. De son côté Pesant ne comprend toujours pas pourquoi des milliers de personnes de tous les pays dépensent des fortunes pour se payer le droit de taquiner un poisson qu'ils remettent à l'eau une fois sur deux. La pêche au saumon, ça le dépasse, comme la pêche tout court d'ailleurs. Il n'a jamais été très patient. Pour William, ce saumon qui vient de recouvrer sa liberté emporte avec lui toute une lignée de poissons qui forment une longue chaîne dans son esprit, une chaîne qui remonte son histoire et celle de son peuple. Il se rappelle ses jeunes années, quand il accompagnait son père guide de pêche. Lui-même avait fait ce métier un temps.

Le saumon qui bondit et lutte, un même spectacle pour trois hommes différents, trois rêves pour un même poisson, chacun y projetant sa propre histoire, chacune différente mais tournée vers un même but : saisir quelque chose qui nous échappe.

ZEC

Dans les années soixante-dix, les Québécois commencent à en avoir plein leur casque que des rivières et des forêts soient réservées à l'usage de quelques riches hommes d'affaires souvent originaires des États-Unis. Il faut savoir qu'il y a moins d'un siècle, on pouvait encore trouver des annonces de rivières à vendre au Québec dans les journaux de New York. Les Amérindiens de leur côté n'ont jamais cessé de se battre contre toutes les lois tendant à la privatisation du territoire. Dans leur culture, la terre a toujours appartenu à tout le monde. Dans l'Acte des pêcheries de 1858, le gouvernement se donne le droit de louer des rivières en octroyant des permis de pêche valides neuf ans. La loi qui instaure les clubs de pêche privés date de 1885. Il y en aura six cents au Québec en 1941, plus de mille dans les années cinquante et deux mille en 1965. On comprend qu'à ce rythme, certaines personnes décident de dire haut et fort que ça suffit. La première occupation par des manifestants d'un club privé date du 24 juin 1970. Il y en aura huit autres la même année. Le mouvement est lancé. Dans la mouvance de la Révolution tranquille, les pêcheurs québécois veulent redevenir maîtres chez eux. Si, en 1962, le ministre des Richesses naturelles, René Lévesque, a réussi à nationaliser les centrales électriques du Québec, il n'y a pas de raison de ne pas se réapproprier les territoires de chasse et de pêche de la province. Sept ans plus tard, c'est chose faite. Le 22 décembre 1977, le ministre péquiste Yves Duhaime déclare devant l'assemblée :

> Monsieur le Président,
> Pour le 1er avril prochain, aucun bail de droits exclusifs de chasse et de pêche ne sera renouvelé ou maintenu au Québec. [...] Le gouvernement entend remettre la gestion et l'exploitation du territoire à des associations, et des mesures administratives seront prises pour permettre le financement de ces associations.

C'est ainsi que sont nées les Zones d'exploitation contrôlée au Québec, les ZEC. Une révolution menée par un gouvernement qui se voulait de gauche et contre lequel les anciens propriétaires de clubs privés ragent encore. Mais le ministre, dans son allocution, glissa cette petite remarque : « En ce qui concerne les rivières à saumon, nous arrêterons, en cours d'année, une politique d'accessibilité... »

Le plus difficile pour le ministre du Loisir, de la Chasse et de la Pêche, après cette déclaration, a été de réunir les hauts fonctionnaires provinciaux et de leur annoncer l'abolition du Club Verchère, club privé jusque-là réservé aux employés du ministère.

CHIEFTAIN 1976

Chieftain, c'est l'art de vous faire vivre les grands espaces depuis votre intérieur. Ce n'est pas parce que nous avons fait du Chieftain 1976 un véhicule raffiné et agrémenté de nombreuses fonctionnalités que nous avons oublié l'ingrédient le plus important de tous : de l'espace pour en profiter. L'habitacle intérieur vous ravira, tout comme la conduite et la vie de tous les jours dans notre nouveau Chieftain. Avec une salle de bains plus spacieuse, des miroirs plus grands, une armoire à pharmacie et de nombreux espaces de rangement supplémentaires tant à l'intérieur qu'à l'extérieur, vous ferez toujours des jaloux partout où vous irez. Notre dernier modèle Winnebago est équipé d'un nouveau module de douche entièrement en plastique et d'une finition intérieure en velours synthétique. À l'avant, nous avons incliné le large pare-brise de six degrés en l'adaptant à la forme des vitres de chaque côté pour une vue panoramique complète. Parce que sur une autoroute bondée, vous devez toujours voir tout ce qui se passe autour de vous ! *Winnebago : The name that means the most in motor homes.*

WINNEBAGO

Natagamasian tjatjigasites.
Si je traverse, je suivrai le rivage.

KAPLIÉL SITM

Deux kilomètres plus loin, Leclerc aperçoit un zodiac accroché à un quai en bois. William connaît l'endroit. Un peu plus haut dans les bois, il y a une pourvoirie appartenant à un descendant de la lignée des Adams. Au milieu du dix-neuvième siècle, l'ancêtre se vantait de pouvoir sortir entre mille et deux mille saumons par jour avec ses filets qui barraient la rivière d'une rive à l'autre. Il ne fallait pas remonter bien loin pour trouver des traces des premiers colons d'Écosse, d'Irlande ou d'ailleurs devenus de riches marchands expédiant dans toute l'Europe des barils débordants de sel et de poissons. De cette histoire, il restait ici un genre d'hôtel au milieu des bois avec un quai sur la rivière.

Le zodiac est amarré d'un côté, un canot de pêche de l'autre. À travers les épinettes, un sentier remonte jusqu'à un grand chalet moderne avec ses six chambres à deux lits et son restaurant de luxe. C'est un bijou dans un écrin de verdure, une retraite pour millionnaires qui peuvent s'offrir des fins de semaine à plusieurs milliers de dollars pour le simple plaisir de taquiner *Salmo salar*. On y trouve une cave à cigares de Cuba et une cave à vins qui regorge de bourgognes et de bordeaux. De grands noms de la finance et du monde des affaires croisent encore ici des hommes politiques influents et des journalistes de New York, de Miami ou de Washington.

Le hors-bord accoste et les rôles sont distribués. Pesant restera sur place en attendant le retour des deux autres. Il ne doit pas bouger. Il faut être prêt à démarrer le moteur à tout moment. Leclerc ira à l'accueil et trouvera un prétexte pour gagner du temps. William, qui connaît les environs, fera le tour du bâtiment pour chercher la trace des deux femmes.

Leclerc remonte le sentier et débouche sur un hangar à bateaux. En face du chalet principal, trois véhicules sont garés, dont une fourgonnette qui ressemble beaucoup à un Econoline banalisé de la Gendarmerie royale. C'est étrange. Il contourne le hangar et marche vers la porte d'entrée en haut d'un escalier en bois qui donne sur un balcon de style colonial entourant l'habitation. Tout est peint en vert et blanc. Leclerc respire profondément et entre dans le vestibule. Au beau milieu d'un décor classique de camp de pêche, un énorme panache d'orignal trône au-dessus du comptoir de l'accueil. Sous le panache, deux cannes à mouche en bois du siècle passé se croisent. Cet assemblage qui se veut artistique est l'emblème du Camp Adams. Les murs sont couverts de photos encadrées où des saumons rivalisent de splendeur. Ici s'étale un siècle d'histoires au bord de la Ristigouche. Il y a les photos en noir et blanc avec hommes en chapeau chic, veste de tweed et pantalons bouffants au-dessus de bottes qui évoquent davantage l'équitation que la pêche. Ici et là, une femme au menton haut et au sourire blanc tient une prise longue comme ses jambes. Sur certaines photos on tient le saumon à la verticale, sur d'autres, à l'horizontale. Tous ces trophées témoignent des bons moments que les nantis sont venus s'offrir. C'est l'occasion pour eux de prouver leur habileté, leur grandeur et leur suprématie. Ils marchent dans les pas des officiers de Georges III, qui ont importé au Canada leur goût pour la pêche sportive, haut divertissement de gentlemen. Ils sont les fiers descendants d'Izaac Walton et de son fameux traité de 1653 : *Le Parfait Pêcheur à la ligne ou le Divertissement du contemplatif.*

Sur le comptoir, une sonnette sur laquelle Leclerc tape. Le *ding* distinctif résonne. Une porte s'ouvre sur la gauche. Un homme d'une bonne carrure, dans la soixantaine, se plante debout derrière le comptoir. Avec un large sourire, il lance un chaleureux *good morning* à Leclerc qui lui répond par un bonjour en français, avec un sourire tout aussi large.

L'homme en chemise kaki et jeans Levi's sourit moins et se force à répondre en français.

— Qu'est-ce que je peux faire pour toé, mon gars ?

— Je suis tombé en panne d'essence. J'ai un problème avec ma jauge. J'pensais être OK pour aller pêcher un peu plus haut et je me suis laissé dériver quand j'ai vu votre quai.

— Méchante bad luck.

— Oui, c'est sûr. Si vous pouviez me fournir pour

cinq piasses de gaz ça serait ben friendly de vot' part.

—Comme tu peux remarquer, c'est pas un poste à gaz icitte, c'est un hôtel.

—Si vous préférez, je peux peut-être demander à votre patron?

—Le patron, c'est moi, Herman Adams.

—Je vous demande pas grand-chose, juste un peu de gaz pour retourner à mon jeep.

Le patron finit par répondre à Leclerc qu'il va aller chercher les clés du hangar.

—Attends-moi icitte deux minutes.

Pendant ce temps, William bifurque derrière le chalet après avoir discerné comme une clairière dans les bois un peu plus loin. Il suit un chemin forestier presque effacé et découvre un énorme Winnebago sous les arbres. D'ici, on ne voit plus le bâtiment principal. Le camping-car doit faire vingt-cinq pieds de long, tout blanc avec une ligne orange sur le côté, qui dessine le W de la marque. Un homme est assis sur une table à pique-nique du côté de la porte passager. Cigarette au bec, il taille une longue branche en pointe avec un canif. Ça n'a pas dû être simple de stationner ce véhicule de luxe ici. Cette présence un peu surnaturelle ne laisse présager rien de bon à William. Il fait un grand tour par le bois pour atteindre l'autre côté. Il s'approche du véhicule et vient se coller aux fenêtres, qui ne laissent rien voir. Elles sont condamnées par un épais rideau. Il croit cependant percevoir des mouvements à l'intérieur. Il tend l'oreille quand retentit de l'autre côté du fourgon le bruit d'un walkie-talkie. Une voix qui grésille ordonne de rappliquer «parce qu'ils ont de la visite». L'homme se lève. Il s'est à peine engagé sur le chemin vers le chalet qu'une branche passe à l'horizontale juste devant ses yeux, elle s'arrête sur sa gorge. Il voit les deux mains aux extrémités du bâton qui l'étrangle, il manque d'air et se débat en vain.

William revient au Winnebago. La porte résiste. Il se tourne vers la fenêtre du passager qui coulisse. En s'aidant du rétroviseur, il se hisse dans la cabine avant de tirer le rideau de velours noir qui sépare l'espace conducteur du reste du véhicule. Ça sent l'alcool et le tabac froid. Le spectacle qu'il découvre lui glace le sang. Ligotée et bâillonnée, Océane repose sur un lit recouvert d'un drap à motifs dorés. Deux anneaux vissés au plancher retiennent ses liens. Des objets en plastique, des choses brillantes et des bouts de corde pendent ici et là. À mesure que les yeux de l'Indien s'habituent à l'obscurité, l'habitacle apparaît pour ce qu'il est réellement, non pas un camping-car aménagé pour le voyage mais un lupanar mobile, un genre de salle de débauche, un donjon de fortune. Des posters de *Playboy* et des calendriers de garage avec blondes et rousses pulpeuses appuyées sur des piles de pneus ou des capots de voitures, pied-de-biche entre les jambes ou tournevis au bord des lèvres, tapissent les murs. Une énorme clé à molette accrochée à une étagère donne le ton. Sur une tablette, des bouteilles de Poppers et de petits sachets de poudre blanche sont posés au milieu de boîtes de condoms et de Kleenex. Océane tire mollement sur ses liens en souriant, en balbutiant des bouts de mots en mi'gmaq, en anglais, en français. William la secoue. Elle est complètement défoncée. Il cherche autour du lit et trouve une boîte de sédatifs Quaalude 300.

—Maudite gang de chiens sales.

Traîtrise

Yves Leclerc attend qu'Adams revienne. Il réapparaît avec un gros jerrican en plastique rouge. Il le pose sur le comptoir dans une odeur d'essence.

—J'avais ça dans la cave. Ça va faire cinq piasses si tu me ramènes le bidon après.

Leclerc s'apprête à lui dire merci, mais une voix dans son dos répond à sa place :

—Ça s'ra pas nécessaire. T'auras plus besoin du bateau.

Leclerc reconnaît la voix. Il se retourne et se retrouve face à face avec Pierre Pesant, un sourire en coin et des gouttes de sueur sur le crâne.

—Cette fois-ci, c'est moi qui pourrais te mettre mon poing dans la face, mais je vais laisser monsieur Adams s'occuper de toi.

Yves esquisse un pas en direction du traître, mais le son dans son dos d'un fusil à pompe qu'on arme l'immobilise. Herman Adams a lentement sorti un .12 à double canon scié de sous son comptoir et le pointe en direction de Leclerc. Pesant s'adresse à Adams :

—Il est venu avec un Mi'gmaq. Ils cherchent les deux filles.

Yves pivote et regarde Adams droit dans les yeux. Du bout de son fusil, le patron lui fait signe de monter l'escalier à droite du comptoir.

— Ben justement, tu vas venir avec moé, le gros malin.

Ils montent tous les trois à l'étage. Leclerc est suivi d'Adams puis de Pesant. Dans le couloir en tapis fleuri, un homme est assis sur une chaise en bois devant la porte numéro six. Il a un pansement à la main gauche et un walkie-talkie sur la cuisse. Pesant parle le premier :

— On a de la visite. Son chum l'Indien doit rôder autour, faut le trouver avant qu'il crisse la marde.

Adams dit à l'homme qui s'appelle Bill de continuer à surveiller la chambre.

— Pour l'instant, on va mettre celui-là avec la Française. Mike s'en vient. Nos clients vont revenir vers midi, on va être au complet. On va arranger la petite pour à soir pis on verra pour la grande.

Bill débarre la porte et pousse Leclerc dans une grande chambre avec deux lits queen, deux commodes et une télé sur une table entre deux chaises. Caroline est assise sur le lit du fond. Elle a entendu la voix d'Adams dans le couloir et, quand elle voit entrer Yves, elle se lève d'un bond.

— Où est Océane ? Ils ont dit qu'ils étaient de la GRC. Océane en a blessé un. Elle l'a mordu. Il l'a frappée. Où est-elle ?

La réplique vient d'Adams :

— Prenez le temps de jaser. On va aller trouver votre ami l'Indien pis après on va s'occuper de vous autres.

Il referme la porte quand une énorme détonation ébranle tout l'édifice. Adams reste accroché à la poignée sans comprendre. Un Winnebago de dix tonnes en feu vient de heurter de plein fouet l'entrée de l'hôtel. L'escalier extérieur est en morceaux, une grande partie du balcon est détruite, les photos du vestibule ont volé en éclats. L'incendie ne mettra pas très longtemps à gagner tout le chalet. L'instant de sidération passé, les trois hommes, Adams en tête, descendent les marches à la volée. Les flammes embrasent le vieux chalet en bois comme une boîte d'allumettes. Le choc a décroché le panache d'orignal, tombé sur le côté. Adams a l'impression que la tête le regarde d'un œil mauvais. Pesant pousse un cri.

ECONOLINE

Dehors, Herman Adams regarde brûler son Winnebago et l'hôtel de son camp de pêche. Il sait qu'il ne
peut rien faire. Il sait que les pompiers et la police
vont bientôt débarquer. Il dit à Pesant de ramasser
du matériel de pêche dans le hangar et de descendre
l'attendre sur le quai et demande à Bill de réessayer de
joindre Mike avec le walkie-talkie. Pas de réponse.

—Écoutez, les gars! Il faut qu'on trouve l'Indien et
la fille au plus sacrant. Pour les deux en haut, y a plus
grand-chose à faire.

Pesant prend la route du hangar. Bill contourne
l'hôtel. Adams se dirige vers l'emplacement où était
stationné le camping-car. L'Indien a sûrement caché
la fille pas loin. Elle va finir par faire du bruit. Pesant
entre dans le hangar, trouve deux cannes à pêche,
une boîte de mouches et une glacière. Il s'empare du
matériel et descend au quai. Il n'y croit pas que tout
ça est en train d'arriver juste parce que trois gars de
la police provinciale ont laissé filer la Mi'gmaq après
le viol. S'ils avaient réussi à la rattraper, tout se serait
bien passé comme d'habitude. Il n'a pas le temps de
réfléchir davantage. Un puissant coup de pelle en
plein front l'envoie bouler sur le sentier. William le
pousse à coups de pied jusque dans la rivière. Pesant
est tellement sonné qu'il ne se réveille pas. L'Indien

n'a pas besoin de le maintenir longtemps sous l'eau. Pesant noyé dérive sur la Ristigouche comme un saumon mort.

À l'étage du chalet, Yves va pour sortir de la chambre mais Caroline le retient. La fumée qui monte de l'escalier et s'accumule déjà dans le corridor leur barre la route. Pas la peine de s'asphyxier. Ils vont à la grande baie vitrée de la chambre, regardent en bas, se regardent, regardent les deux chaises près des lits, regardent les lits et se comprennent. Caroline prend les deux chaises et Yves catapulte la télé à travers la vitre qui éclate. Chacun avec une chaise, ils achèvent le travail, brisent du mieux qu'ils peuvent les pointes de verre encore sur le cadre.

—C'est pas mal haut.

—On n'a pas le choix, Yves.

Ils arrachent les draps blancs des matelas, en saisissent un par ses poignées de transport, le poussent et le plient, ça passe serré dans le cadre de la fenêtre, il s'accroche aux tessons restants mais ils parviennent à faire tomber le matelas à plat au pied du bâtiment. De la fumée commence à passer sous la porte et à monter au plafond. Il faut lancer le second matelas sur le premier. Ils reprennent la manœuvre et dans un souffle Caroline redemande à Yves où est Océane, William la cherche, dit-il. Ils poussent l'autre matelas qui tombe de travers sur le premier, il y a peu d'espace pour la chute. Yves propose d'attacher quelques draps pour sauter de moins haut, gagner quelques mètres, mais Caroline préfère aller vite et tenter le coup. Yves tient au moins à la tenir le plus longtemps possible, raccourcir sa chute. Elle pose un couvre-lit sur le bas de la fenêtre pour éviter de se couper puis passe une jambe dans le vide. Yves l'aide comme il peut. Caroline passe l'autre jambe. Il la tient par les mains et l'aide à descendre le long du mur, le plus bas possible. Elle se laisse glisser dans le vide et tombe à la renverse du bon côté des matelas, un peu sonnée mais ça va. Elle regarde Yves au-dessus d'elle, roule sur elle-même pour lui laisser la place. Il plie les genoux, s'élance quand un coup de feu le fait se désarticuler dans sa chute. Il s'écrase sur la mauvaise partie des matelas. Le corps de Leclerc est inerte. Caroline le retourne. Une tache de sang trempe lentement sa chemise.

Adams s'avance, l'arme au poing.

—T'as intérêt à me dire où est la Mi'gmaq pis l'autre sauvage !

La Française hurle qu'elle n'en sait rien. Bill arrive en courant. Son boss a le regard fixe, très loin, très proche, rien ne lui échappe.

—As-tu trouvé les autres ?

—Non.

Adams fait un signe du bout de son canon. Bill a compris, il le connaît. Il sait ce qu'il faut faire. Les deux hommes s'approchent des victimes. Ils alignent leurs armes, semblent hésiter une seconde, se regardent pour se coordonner, une seconde de trop, une seconde pour que le vrombissement d'un moteur emplisse soudainement l'air, une seconde pour lever les yeux et voir foncer droit sur eux le pare-chocs chromé d'un Econoline, une seconde pour être projetés au sol, sentir les pneus rouler sur leurs membres, leur poitrine froissée par la colonne de distribution, leurs dos sous les amortisseurs, une seconde pour que le réservoir d'essence défonce un crâne et que les deux corps gisent inanimés derrière la camionnette qui s'arrête brutalement quelques mètres plus loin. La portière s'ouvre. William descend et s'avance à grands pas sans un regard pour les accidentés. Qu'ils soient morts ou vifs ne l'intéresse pas. Le temps presse. L'incendie a gagné le toit de l'édifice.

— Faut descendre au bateau. Océane y est déjà, dit-il en soulevant Leclerc.

Caroline et lui soutiennent Yves et l'entraînent sur le sentier vers la rivière. Une épaisse fumée noire s'élève derrière eux. Yves serre les dents, leur dit que ça va aller. Au bateau, Océane somnole à moitié recroquevillée dans un drôle de drap. Caroline lui retire le bâillon que William n'a pas dû avoir le temps de lui enlever. Encore sous l'effet de la drogue, elle ne réagit pas. La coque en aluminium s'ébranle, le bateau démarre. Leclerc reprend un peu ses esprits. Depuis sa chute, il a l'impression de voir tout se dérouler comme sur un écran autour de lui. Il dit à William :

— Les pêcheurs, les Américains dans le canot, ils étaient au camp... Ils devaient savoir...

William lui dit de ne pas s'inquiéter, il s'en occupe. Justement, plus bas sur la rivière, le guide remonte en canot avec ses deux clients. Ils ont vu la fumée et rentrent plus tôt que prévu. William a une petite surprise pour eux. Il lance le moteur à pleins gaz, descend à toute vitesse et se rapproche de la berge. Quand il est à leur hauteur et que le guide fait des grands signes avec les bras pour qu'il ralentisse, William vire à quatre-vingt-dix degrés et lance le hors-bord à travers le canot des pêcheurs. Les trois occupants ont à peine le temps de se jeter à l'eau que la coque en aluminium coupe leur embarcation en deux. Dans le bateau ils n'ont rien senti ou quasi rien. Les trois naufragés battent des bras et essayent de s'accrocher à quelques morceaux d'épave. Yves et Caroline en riraient presque s'ils n'étaient pas en état de choc. William dirige de nouveau le nez du hors-bord dans le sens du courant.

Conférence de presse

Deux jours plus tard, le 25 juin 1981, alors qu'Océane et Leclerc reprennent des forces sous la surveillance d'un vieil Indien et d'une jeune Française, le Premier ministre du Québec, René Lévesque, originaire de la baie des Chaleurs, donne une conférence de presse.

«C'est très complexe en ce qui concerne les Amérindiens en ce moment, et ce n'est pas seulement au Québec, c'est à l'échelle de tout le Canada. Avant-hier, monsieur Lessard est allé rencontrer le chef Metallic et le conseil de bande à Restigouche. Pourquoi est-ce qu'on négocie avec nos concitoyens amérindiens? On ne négocie pas avec les Blancs. Pour les Blancs, le règlement s'applique, un point c'est tout. Mais on négocie avec les Amérindiens, justement, parce qu'on reconnaît les Amérindiens comme des peuples distincts, et très spécifiquement en ce qui concerne les droits héréditaires de chasse et de pêche qui dépassent, de loin, ceux des Blancs.

«Pourquoi est-ce si difficile? C'est parce qu'au-delà des réserves qu'on connaît, disons Restigouche, qui a telle grandeur, Maria, qui a telle étendue, et où l'Indian Act leur concède une série d'avantages mais a aussi malheureusement transformé ces populations en ghettos, c'est-à-dire qu'il y a toujours eu les deux côtés de la médaille là-dedans. Il faut savoir qu'il y a une notion de territoire indien, et partout — c'est vrai dans l'Ouest canadien, c'est vrai dans le nord du Québec, c'est vrai un peu partout — cette notion de territoire indien, c'est devenu un thème dominant pour les nouvelles générations indiennes et leurs porte-paroles. Quand ils le définissent, dans certains cas, c'est quasiment comme la récupération de tout le territoire, qui est comme une sorte d'objectif.

« Seulement, le territoire indien dont ils parlent, quelles qu'en soient les vraies dimensions, cela ne peut pas faire autrement que d'être aussi le territoire des Blancs, sinon on tombe encore une fois dans l'absurdité… On ne peut pas reprendre tous des bateaux et s'en aller sur un autre continent. Il faut s'entendre, le cas échéant, pour faire des partages. C'est exactement le cas du saumon. »

Question d'un journaliste : « Vous avez évoqué la possibilité de mesures disciplinaires contre des agents de la Sûreté du Québec. Qu'en est-il ? »

Réponse de René Lévesque : « On m'a dit qu'ils avaient été prévenus, que, sur pièce, évidemment — on ne fait pas cela simplement à partir des rumeurs qui circulent dans les manchettes — mais, sur pièce, s'il y avait des preuves, ils pouvaient être exposés à des mesures disciplinaires, et on me dit qu'ils avaient été avertis, que la troupe en question avait été avertie avant. Je ne sais pas où c'en est rendu et je ne sais pas si c'est justifié, non plus. C'est sûr qu'en soi c'est désagréable, cela a créé des incidents désagréables, peut-être plus l'image, je vous ai dit pourquoi ils avaient pensé que c'était nécessaire, l'image d'une grosse troupe qui crée un corps de débarquement, cela reste une décision, le moins qu'on puisse dire, discutable, ce qui a été fait. Comme je vous le dis, il n'y en aura pas d'autres. »

Cette déclaration du Premier ministre n'empêchera pas, un mois plus tard, qu'une fusillade éclate entre la Sûreté du Québec et les Mi'gmaq au pied du pont Van Horne. Il faudra en arriver là pour que le ministre du Loisir, de la Chasse et de la Pêche invalide son injonction et entreprenne de nouvelles négociations qui aboutiront un an plus tard.

Tu as désobéi à ton père

Pour distinguer la réserve indienne et la rivière, on parle de la réserve de Restigouche et de la rivière Ristigouche. Selon certaines sources, les Mi'gmaq appelaient cette rivière Lustagooch, qui voudrait dire : bonne rivière. Selon une légende, le terme Ristigouche viendrait d'une attaque menée par le chef mi'gmaq Tonel pour se venger du massacre des siens perpétré par des Iroquois de Caughnawaga. Tonel serait revenu victorieux en criant *Listougoutch!* qui signifie « tu as désobéi à ton père ». Il aurait alors changé le nom de son village de Tjigoug, « la terre des plus grands hommes », pour celui de Ristigouche, qui se nomme aujourd'hui Listuguj.

NÉMÉSIS

En pleine bataille du saumon, l'incendie du Camp Adams n'avait pas fait beaucoup de bruit. Une équipe de la GRC était arrivée sur les lieux en premier. Les agents alertés étaient des collègues proches de Mike et de Bill. Le corps du premier avait été retrouvé entièrement carbonisé sous les cendres de l'escalier en bois, dans la carcasse du Winnebago. Le second était toujours dans le coma, ce qui arrangeait pas mal de monde. Adams était mort de ses blessures dans l'ambulance qui l'emmenait vers Campbellton. Une fois le feu maîtrisé, les pompiers avaient ramassé les trois naufragés sur le chemin du camp. Les riches États-Uniens et leur guide n'avaient pas été considérés comme témoins à charge. Ils avaient convaincu les enquêteurs de leur innocence.

Le corps de l'anthropologue avait été repêché quelques jours plus tard à l'embouchure de la Matapédia. L'enquête avait montré que Pesant agissait comme rabatteur depuis plusieurs années sur les réserves en gagnant la confiance des autochtones. Quand il en savait suffisamment sur quelques jeunes filles du coin, il refilait ses tuyaux aux membres d'un réseau qui savait toujours faire disparaître les preuves. Le Winnebago d'Herman Adams n'était qu'un rouage d'un plus vaste engrenage, dont profitaient policiers fédéraux et provinciaux, hommes d'affaires et politiciens. Cela expliquait pourquoi l'affaire de l'incendie du Camp Adams avait été vite classée. Les pistes s'effaçaient. Le sergent Trudel avait été promu lieutenant dans un nouveau secteur près de Valleyfield. Pesant mort constituait un excellent bouc émissaire. Nadine Lachance avait été envoyée couvrir une affaire moins compliquée. Un homme s'était noyé en pêchant sur le bord d'un lac. Il avait apparemment glissé et fait une mauvaise chute. Un ami du défunt était de son côté toujours porté disparu.

Arrivés au quai, William et Caroline avaient aidé Yves et Océane à monter jusqu'à la maison. Ils avaient mis la jeune fille sous la douche pour la faire redescendre de son trip forcé. Caroline avait désinfecté la plaie de son ex-amant. La balle avait entaillé le bras mais poursuivi sa trajectoire. Pendant deux jours, les blessés avaient beaucoup dormi. Océane conservait un souvenir confus de l'épisode du Winnebago. Le puissant sédatif l'avait en quelque sorte protégée de cet autre traumatisme. La seconde nuit, dans la maison verte, Caroline avait longuement discuté avec Océane. Elle l'avait encouragée à retrouver sa famille et à prendre le temps de réfléchir. Elle lui avait aussi offert tous ses livres en cadeau.

Caroline devait rendre les clés avant de partir. Son billet de retour en France était daté du 1er juillet. William l'avait aidée à ranger la maison. Elle lui avait demandé ce qu'il pensait faire.

—Je vais ramener Océane chez elle. Je vais retrouver la forêt, rentrer chez moi, comme toi. Je pense que Yves aussi. Vous allez tous les deux remonter le courant de la Matapédia. C'est le chemin qu'empruntaient mes ancêtres au milieu des épinettes et des sapins pour passer des confins de la baie des Chaleurs aux largeurs du grand fleuve. Aujourd'hui on roule sur la 132 pendant deux heures. À l'époque du portage, il fallait une bonne semaine à mon peuple pour passer de la Ristigouche au Saint-Laurent. Cette route vers Québec me fait toujours penser au massacre.

Et William avait parlé des nombreux clans mi'gmaq installés tout le long du fleuve, des îles et de la baie où une cinquantaine de familles se retrouvaient tous les étés. Ils y vivaient en paix. Ils avaient amplement de quoi se nourrir avec le saumon, la morue, l'anguille, le touladi, les castors, les carcajous, les lièvres, les perdrix, les ours et les caribous. Au printemps, c'est dans ce coin qu'on récoltait le meilleur sirop d'érable. Un jour, cent guerriers iroquois étaient venus du sud pour se battre. Les Mi'gmaq n'étaient ni préparés ni assez nombreux. Les plus jeunes et les plus vieux avaient été mis dans les quelques canots disponibles. Les autres étaient partis se cacher sur une des îles de la baie, espérant rester invisibles aux yeux des Iroquois. Ça n'avait pas été le cas. Pendant quelques heures, la marée haute avait protégé les fugitifs. On pouvait imaginer leur attente à mesure que l'eau se retirait et ouvrait le passage à l'ennemi. Il y avait eu une première attaque. Les flèches, les lances, les lames et les gourdins avaient fait des morts et des blessés des deux côtés. La nuit passée, après la marée, la seconde vague avait scellé le sort des Mi'gmaq. Les Iroquois avaient massacré tous ceux qui étaient encore en vie, trois cents personnes.

—C'est pour cette raison que cette île s'appelle aujourd'hui l'île du Massacre.

Quelques jours plus tard, il y avait eu une vengeance. Deux Mi'gmaq avaient réussi à aller chercher des renforts chez les Malécites. Ils étaient moins nombreux que les Iroquois, mais grâce à l'effet de surprise ils avaient pris toutes les vies.

Pour conclure, William avait dit à Caroline :

—Personne n'est tout blanc.

STADACONÉ

William avait vu juste. Yves allait accompagner
Caroline à l'aéroport et ne reviendrait pas. Il lui avait
d'ailleurs demandé de vider le chalet. Caroline avait
insisté pour que William garde sa Renault 5. Au
troisième jour, les deux Blancs et les deux Indiens
s'étaient dit adieu. William et Océane étaient partis
les premiers en voiture. Caroline avait pris le volant
du Cherokee et Yves s'était laissé conduire jusqu'à
la première étape du voyage, un motel près du Bic,
parce que Caroline voulait voir l'île du Massacre.
Ils s'étaient ensuite arrêtés à Québec. L'avion de
Caroline ne décollait que dans trois jours. Ils avaient
pris le temps des au revoir en vivant reclus derrière
les murs de la vieille ville. Ils n'étaient sortis de leur
chambre qu'à la nuit tombée pour parcourir le Vieux-
Québec au milieu des touristes. Ils avaient passé ces
derniers moments dans une chambre au dernier étage
d'un hôtel qui leur offrait l'île d'Orléans et le fleuve
à perte de vue. Ils étaient là où quelque chose avait
commencé, officiellement en 1608, mais bien avant
dans les faits. C'était là, quelque part en bas, dans
l'ancien village iroquois de Stadaconé, que Cartier
avait enlevé Donnacona en 1536 pour le ramener à la
cour de François Ier. C'était d'ici qu'on pouvait repartir
et suivre le fleuve jusqu'à la Gaspésie, qui avait été,

pour les peuples algonquins, la fin des terres et, pour les colons, le début du Nouveau-Monde.

Caroline avait pris l'avion à Montréal le 1er juillet, fête du Canada. Les journaux parlaient encore de la mort de Terry Fox, dont le courage était érigé en symbole de la nation. Yves viendrait peut-être la voir un jour, là-bas, près de Bordeaux, où elle allait enseigner. Ni l'un ni l'autre n'y croyaient vraiment. Pour l'instant, Leclerc rentrait chez lui à Rivière-à-Pierre dans le comté de Portneuf. Il y trouverait une job de bûcheron et laisserait tomber ses rêves de pêche au saumon à la mouche au bord des rapides pour dorénavant se contenter de taquiner la truite au moulinet, en chaloupe sur un lac.

La nuit des Longs Couteaux aurait lieu quatre mois plus tard, le 4 novembre, neuf provinces du Canada et le gouvernement fédéral de Trudeau ayant décidé du rapatriement de la Constitution sans l'accord du Québec. Cette entente, qui allait renouveler la Constitution canadienne en 1982, fut un coup dur porté aux nationalistes québécois mais, en revanche, une victoire pour les autochtones, qui se voyaient reconnaître leurs droits ancestraux et leur statut de peuples distincts.

Comme le dirait plus tard Lucien Lessard, le ministre responsable de la guerre du saumon et des raids à Restigouche : « Pour être un peuple, il faut avoir sa langue, sa culture et sa terre… »

Je suis le chien qui ronge l'os

Mutt sangewite'lm'g moqwa' wen gesatgit nmu'j negmewei.
Ne fais pas confiance à celui qui n'aime pas son chien.

Au volant de la Renault 5 de Caroline, William a ramené Océane à Restigouche. La violence des derniers jours est encore palpable sur la réserve. Il accompagne la jeune fille jusque chez elle. Quand la mère d'Océane ouvre la porte d'entrée et la voit, la surprise lui coupe le souffle puis le soulagement lui fait monter les larmes aux yeux. Elle la prend dans ses bras en lui demandant où elle était, qu'est-ce qui s'est passé? Elle crie aux enfants qu'Océane est revenue, elle est là. La sœur et les deux frères arrivent en courant, lui entourent la taille. Puis la mère prend conscience de la présence de William. Reconnaît celui qui vit seul en forêt. On le croise parfois sur la réserve en début de mois. Un bon gars malgré des histoires de bagarres avec des Blancs. Il est parti après la mort de sa femme et de sa fille. Un accident de voiture peut-être, elle n'en sait pas plus. D'où vient Océane, d'où la ramène-t-il? Est-ce qu'elle était dans le bois? Un ami l'a retrouvée, lui dit William et maintenant elle a besoin de sa famille. Puis il s'éclipse tandis que les enfants tirent Océane vers le salon en disant qu'il y a quelque chose pour elle, que c'est son cadeau d'anniversaire arrivé en retard. Couché sur le tapis, un chiot husky ronge un os.

CE N'ÉTAIT QU'UN RÊVE

La lointaine ancêtre de William avait fait un rêve. Depuis le campement établi à la fin des terres, la vieille Mi'gmaq avait vu une grande île qui avançait vers le rivage. C'était une île sur laquelle de grands arbres tanguaient dans le vent. Des ours montaient et descendaient le long des troncs qui touchaient le ciel. À la pointe, un homme vêtu de fourrure blanche se tenait droit. Il avait un long bâton à la main qui lui permettait de faire avancer l'île. Quand elle raconta son rêve, les sages de la tribu restèrent muets.

Puis un jour, une bande d'enfants accoururent au village en criant qu'une île géante peuplée d'ours avançait vers le rivage. Les guerriers prirent les armes et montèrent dans leurs canots pour s'approcher d'un navire où des hommes barbus se balançaient aux cordages. À la proue, Cartier se tenait debout, vêtu de blanche hermine.

En peu d'années, la réalité fit du songe prémonitoire un cauchemar pour les uns et une conquête pour les autres.

OCÉANE

Dans la chaleur humide de juillet à Montréal, elle monte les marches vers son studio au premier étage d'un immeuble de Côte-des-Neiges. Elle sort ses clés et déverrouille la porte. Elle a à peine le temps d'entrer que son chien Alouk lui saute dessus. Elle le caresse, lui donne à manger. Elle a passé la journée à la bibliothèque de l'université, où elle travaille à son mémoire de maîtrise. Elle allume la télé et s'affale en sueur sur son clic-clac. Elle regarde pendant deux minutes avant de comprendre son effroi et saisir qu'elle frissonne. Un reportage relate les violentes altercations qui ont lieu depuis le matin à Kanesatake entre policiers et Mohawks. À Kahnawake, les autochtones perturbent le trafic routier. C'est le début de la crise d'Oka. Les images qui défilent la ramènent neuf ans en arrière. En voyant les Mohawks bloquer le pont Mercier, elle se retrouve en train de courir sous le pont Van Horne. Elle ferme les yeux et s'oblige à respirer profondément. Elle a un peu envie de vomir. Elle refuse de regarder la violence des uns et des autres, forces de l'ordre et manifestants qui hurlent et se bousculent. Elle se lève, éteint la télé et se rassoit. Alouk vient poser sa tête sur ses genoux. Elle caresse l'animal alors que lui revient malgré elle l'été de ses quinze ans.

William l'avait ramenée chez elle et elle avait eu

l'impression étrange de ne pas vraiment retrouver sa maison. Les pièces semblaient plus petites, sa mère et son père avaient l'air plus vieux. Elle avait été incapable de continuer à partager sa chambre avec sa sœur. On avait descendu son lit au sous-sol où elle s'était aménagé une pièce avec des draps suspendus au plafond. Les premiers jours, elle n'avait supporté que la présence du husky. Sa mère lui apportait à manger et voulait lui parler mais Océane ne répondait pas. Elle restait couchée et lisait les livres que Caroline lui avait laissés. Elle allait tous les lire, même ceux qu'elle ne comprenait pas. Elle écoutait les bruits à l'étage au-dessus de sa tête et avait l'impression qu'il s'agissait d'un autre monde.

Quelques jours plus tard, Lita, une amie de la famille, était venue. Elle s'était assise à côté d'elle sur le lit, avait posé sa main sur son front. Lita avait parlé longtemps. Elle était souvent revenue. Elle disait qu'il faut parfois laisser les hommes croire qu'ils sont plus forts pour mieux les dominer. Avec elle, Océane avait commencé à comprendre que le pouvoir des uns repose sur la résignation des autres. Lita lui avait aussi appris qu'on peut facilement briser une flèche avec ses mains — elle faisait le geste de casser quelque chose contre sa cuisse — mais que s'il y avait beaucoup de flèches ensemble, on ne pouvait plus les briser.

La tension sur la réserve retombait peu à peu après les deux raids. La guerre du saumon avait appelé les Mi'gmaq à resserrer les rangs. La communauté se sentait plus forte. La bataille se poursuivrait maintenant devant les tribunaux. Individuellement, ceux qui avaient été incarcérés, comme son père, subiraient un procès. Collectivement, le conseil de bande allait se lancer dans la création de sa propre juridiction, il n'était plus question de continuer à se plier à des lois écrites par les autres. Même si ces histoires restaient confuses pour elle, Océane avait vu l'importance qu'attachaient son père et les adultes aux affaires juridiques et saisi l'ascendant de ceux qui comprennent la loi.

Océane avait dévoré le livre de Jack London prêté par son professeur d'anglais. La dernière nouvelle de son recueil racontait l'histoire d'El-Soo, une jeune Indienne élevée chez les sœurs, qui repart dans sa tribu pour s'occuper de son père malade, le grand chef Klakee-Nah. L'homme le plus puissant de la région est désormais vieux et endetté auprès de son ancien associé Porportuk. El-Soo souhaite que les derniers mois de son père se passent dans l'opulence due à son rang et elle le laisse s'endetter davantage. Quand il meurt, la jeune Indienne offre de se vendre au plus offrant pour effacer les dettes laissées à Porportuk. C'est ce dernier qui la désire le plus mais il est vieux, avare et méchant. Quand il remporte les enchères, elle se sauve avec Akoon, celui qu'elle aime. Porportuk et six guerriers les traquent à travers le Yukon et les retrouvent. Réfugiés dans une tribu, les deux amants subissent le jugement des anciens qui donnent raison au vieux Porportuk. Mais celui-ci, au lieu de reprendre El-Soo, déclare à Akoon qu'il va lui laisser la jeune fille qui a la mauvaise habitude de se sauver, ajoutant qu'elle ne se sauvera plus jamais. Disant cela, il pose les pieds d'El-Soo l'un sur l'autre et, avant qu'on devine ce qu'il va faire, lui décharge son fusil sur les chevilles. Jamais un homme ne lui couperait les jambes, jamais un homme ne l'empêcherait d'avancer, s'était juré Océane le livre une fois fini.

Elle en est là de ses souvenirs quand Alouk s'assoit devant la porte en gémissant. En route vers le parc, elle n'arrive pas à croire qu'elle est ici depuis déjà cinq ans. Il est loin, son dernier été sur la réserve en 1984, quand Alanis Obomsawin était venue à Listuguj présenter son documentaire *Les Événements de Restigouche*. Toute la journée il y avait eu des discussions. La réalisatrice avait rappelé que la chanson d'Édith Butler utilisée dans le film avait été censurée à sa sortie. Il y avait eu aussi une grande fête en soirée. Le film avait été un choc pour la communauté parce qu'il faisait revivre les événements avec force, mais il avait aussi fait œuvre de catharsis. Obomsawin était la preuve qu'on pouvait et qu'on devait agir. Elle avait parlé de la langue, de la culture. Elle avait insisté sur l'importance de l'éducation et Océane était venue lui dire fièrement qu'elle partait étudier le droit à l'Université de Montréal à l'automne.

Il y a cet endroit dans le parc, toujours le même, où elle détache Alouk, où elle lui rend sa liberté. Le chien s'élance ventre à terre et effectue plusieurs allers-retours. Océane l'encourage. Par cette chaleur, elle profite de l'ombre sous un chêne. Le grand air lui fait du bien même si ce n'est pas celui de la baie des Chaleurs. Elle a réussi à remonter le fleuve jusqu'ici. Elle ne sait pas encore qu'elle va recroiser la route d'Alanis Obomsawin plus tard pendant la crise d'Oka. Elle ne peut pas imaginer l'ampleur du conflit, la mort par balle d'un policier, l'intervention de l'armée, la mort par lapidation d'un Indien. Mais elle sait qu'elle retournera à Listuguj, pour elle et pour les autres, capable de se battre à armes égales. Dans un rêve récurrent, William lui dit qu'il est passé, le temps où nous nous contentions de vivre. Désormais nous recommençons à exister.

Piscator non solum piscatur

NOTE DE L'AUTEUR

S'il s'appuie sur des faits historiques, ce roman est une œuvre de fiction, qui s'inspire pour partie des réprésentations textuelles et filmiques de l'amérindianité. Je souhaite saluer l'œuvre d'Alanis Obomsawin, dont le documentaire *Les Événements de Restigouche* a joué un rôle déterminant dans l'élaboration de *Taqawan*.

Je remercie Danielle Cyr et Marie-Bernard Young pour leurs précisions quant au système d'écriture du mi'gmaq qui a cours à Listuguj. C'est celui qu'on trouvera utilisé dans ces pages, sauf erreur de ma part.

La plupart des dictons et phrases en mi'gmaq que je cite, ainsi que la recette de soupe aux huîtres, proviennent du site internet Mi'kma'ki de Jean-Claude « Sa'n » Béliveau.

Le chapitre « Anguille sous roche » est tiré de l'article « Ancient Mi'kmaq Customs : A Shaman's Revelations » par Earle Lockerby (*The Canadian Journal of Native Studies,* vol. xxiv, n° 2, 2004, pages 403-423).

Le chapitre « Conférence de presse » est extrait de la conférence de presse donnée par le Premier ministre du Québec René Lévesque le 25 juin 1981.

TABLE

Victoria Horton
Grand Ménage
Attachements

Christos Ikònomou
Ça va aller, tu vas voir
Le salut viendra de la mer

Reinhard Jirgl
Les Inachevés
Renégat, roman du temps nerveux
Le Silence

B.S. Johnson
R.A.S. Infirmière-Chef, une comédie gériatrique
Christie Malry règle ses comptes
Chalut
Albert Angelo
Les Malchanceux

Gabriel Josipovici
Moo Pak
Tout passe
Goldberg : Variations
Infini - l'histoire d'un moment
Dans le jardin d'un hôtel

Jacques Josse
Cloués au port

Michel Karpinski
La Sortie au jour

Besik Kharanaouli
Le Livre d'Amba Besarion

Mènis Koumandaréas
La Femme du métro
Le Beau Capitaine

Alain Lacroix
Constellation

Jérôme Lafargue
L'Ami Butler
Dans les ombres sylvestres
L'Année de l'hippocampe
En territoire Auriaba

Erwan Larher
Marguerite n'aime pas ses fesses
Le livre que je ne voulais pas écrire

Michael Lentz
Mourir de mère

Christophe Levaux
La Disparition de la chasse

Hans Limon
Poéticide

Christoph Meckel
Portrait-robot. Mon père / Portrait-robot. Ma mère

Annette Mingels
Romantiques

Marcel Moreau
À dos de Dieur

Rafael Menjívar Ochoa
Le directeur n'aime pas les cadavres
Ma voix est un mensonge

Stéphane Padovani
La Veilleuse
L'Autre Vie de Valérie Straub
Le bleu du ciel est déjà en eux

Robert Perchan
La Chorée de Perchan

Claudio Piersanti
Enrico Metz rentre chez lui

Cécile Portier
De toutes pièces

Horacio Quiroga
Les Persécutés &
Histoire d'un amour trouble

Benoît Reiss
L'Anglais volant

Monique Rivet
Le Cahier d'Alberto

nier autrui, c'est déjà le connaître
Imprimé dans l'U.E. en janvier 2019
pour le compte de Quidam éditeur à Meudon.